朗読のすすめ

――朗読が結ぶ異文化交流

朗読のすすめ

——「朗読」が結ぶ異文化交流

まえがき

いつの頃からだろうか、「朗読」という音声表現が広がりを見せ、プロ・アマを問わず小説、童話、民話、詩などの文章表現が、音読という形で全国各地で行われるようになった。個人ボランティアとして地元の小学校などで「朗読」をする人、あるいはプロの団体、個人として発表会を定期的に開催する人たちもいる。

これらは、日本語に対する危機意識なのかと考えないわけではないが、むしろ正統的な言葉、文体、文章への回帰意識なのかもしれない。特に昭和、平成、令和における日常語の変化は目まぐるしく、流行語と称する言葉は、所詮は消える運命にあるが、時には一般に定着して行くものもある。

日本語の平仮名、片仮名、そして漢字の音読み、訓読みという言語形態は、世界に類のない日本人独特の発想から編み出されたものである。更に、江戸時代が終わり明治に入った日本は、西洋文化を積極的に取り入れ、それと併行して入ってくる外来語を翻訳語として日本語に組み込んだのである。私たちが日常に使っている言葉には多くの翻訳語が含まれている。そこには当然、文体、文章にも変化が起きるということである。

私が「朗読」という音声表現にのめり込んだ要因は、放送業界に足を踏み入れたことに始まる。第一歩は北海道放送でのラジオ番組制作であった。その後上京してフリーの放送作家として、ラジオドラマやドキュメンタリーの台本を書き、演出などの体験が下地になっている。これらの仕事を通して、マイクを使わず生の声による舞台朗読に傾斜して行った。その理由は本書を読み進んでいただければわかるはずである。

本書では、日本の伝統的語り芸などに触れながら、「朗読」の持つ面白さや奥深さなどを書き進めようと思う。

もくじ

序章　「朗読」の前に——日本の「語り物」文化

日本の「語り物」の系譜

日本語の歴史に欠かすことのできない伝統音楽、あるいは伝統芸能と言われる分野には、〝唄い物〟と〝語り物〟がある。とすれば言葉の構造に深く関わる〝語り物〟の系譜を、たとえ漠然ではあっても知っておく必要がありそうだ。日常私たちが現代語を使って朗読する上で、どれほどのヒントや示唆を受けるか、測り知れないものがあると思うからだ。

私個人を振り返るならば、身近で邦楽に親しんだ時間はとびとびに短く、特別学術的に継続性を持って鑑賞したこともなく、習ったこともない。あると言えば、北海道生まれの父親が「江差追分（えさしおいわけ）」や都々逸（どどいつ）（江戸時代末期に始まった通俗的な小唄、七・七・七・五音を唄う）という〝音曲〟的分野のほんのさわりを教えてくれたことであろうか。

そして最も印象に残っている父親からの伝授は、当時一世を風靡（ふうび）していた浪曲師・広澤虎造の「清水次郎長伝　三十石船」の出だしの一節　〽旅ゆけば、駿河の国に茶の香

■日本音楽の分類■

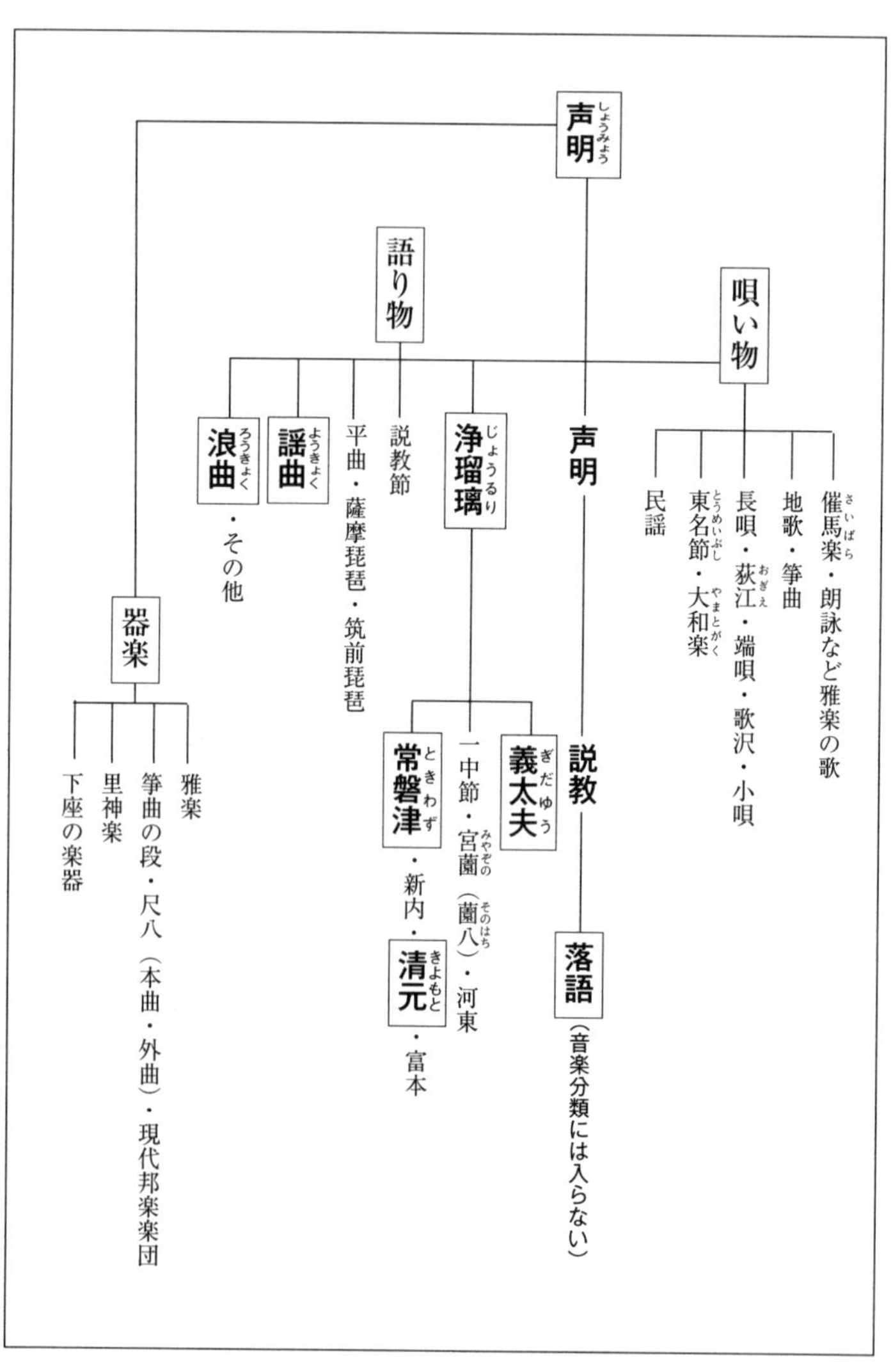
声明（しょうみょう）
語り物
唄い物
浪曲（ろうきょく）・その他
謡曲（ようきょく）
平曲・薩摩琵琶・筑前琵琶
説教節
浄瑠璃（じょうるり）
声明
民謡
東名節（とうめいぶし）・大和楽（やまとがく）
長唄・荻江（おぎえ）・端唄・歌沢・小唄
地歌・箏曲
催馬楽（さいばら）・朗詠など雅楽の歌
器楽
下座の楽器
里神楽
箏曲の段・尺八（本曲・外曲）・現代邦楽楽団
雅楽
常磐津（ときわず）・新内・清元（きよもと）・富本
一中節・宮薗（みやその）（薗八（そのはち））・河東
義太夫（ぎだゆう）
説教
落語
（音楽分類には入らない）

り、名代なるかな東海道、名所古蹟の多いところ……、など首を振り振り唸っていたことである。浪曲（ろうきょく）、または浪花節（なにわぶし）とも言うが、これは邦楽における〝語り物〟の分野に入る芸能である。思い起こせば口伝で父と子が浪曲を唸る光景は、今にしてみれば噴飯物の懐かしさとなるが、現今カラオケで親子が歌う構図と似たようなものであろうか。

余談はさておき、〝語り物〟の系譜の本題に入る前に、日本語と深く結びつきながら発展してきた芸能の流れと分類を右表で鳥瞰してみたい。

こうしてみると、声楽を頂点とする言葉と音を組み合わせた、日本独特な表現分野の流れが一目瞭然であるし、日本音楽がいかに言葉を主体として発達して来たかが良く分かる。

そして、器楽が独奏や管弦楽風に発達したのではなく、あくまでも〝唄い物〟〝語り物〟を補足し、より豊かな表現効果をだすために、使われて来たこともお分かりいただけると思う。そこが、西欧の音楽発達構造とは根本的に違うところである。

では本書の主題である、日本の伝統芸能〝語り物〟について記述しよう。

分類図によれば「声明（しょうみょう）」から枝分かれして〝唄い物〟へと派生していることは明瞭である。「声明」とは六世紀中頃、日本に伝来し発生した仏教の祈りの表現、つまり儀礼に使われる仏の褒め唄。その起源は、インドの音韻、語法などを研究する学問でもあったようだ。

こうした渡来文化を島国日本は、いつも列島内にとどめ、やがて日本人独自の感性によって醸成流布する天才的な国民性を有しているが、「声明」も多彩な表現文化に変貌して、現在の邦楽や現代日本語表現に、陰陽に関わる影響を与えているのである。

参考文献　「伝統シリーズ・邦楽」（杉昌郎著・ぎょうせい刊）／「法学の世界」（山川直治著・講談社刊）

主な「語り物」の概略

謡(うたい)（謡曲）

まずはじめに、「能」に付随する形で発展し最も世に知られ、その歴史たるや六五〇年を超える〝語り物芸〟の「謡」について述べよう。

「能」の由来をたどれば、六〇〇年代初頭に中国から雑芸・散楽(さんがく)（申楽(さるがく)）が伝来することに始まる。これらは滑稽(こっけい)な物真似や曲芸、奇術を主とした芸能であったが、時代の移り変わりの中で能、狂言へとつながっていったと言われている。

そして声明など〝語り物〟と混合し、やがて大和猿楽（やまとさるがく）へと発展、時は室町時代に入る。一三七五（永和元）年、現代能楽の始祖と言われる観阿弥（かんあみ）・世阿弥（ぜあみ）親子がたまたま時の権力者足利義満に、「勧進帳」を観てもらう機会を持った。幸運にも義満には芸能に対する鑑賞能力があったのだろう。以後観世親子は手厚い庇護を受け、日本独自の芸能の道を歩むことになる。

観阿弥は元々、大和猿楽の演技者として、芸域の広い役者であったらしく、特に音曲に天才的な能力を発揮したと言う。それまでの猿楽能は、旋律の面白さを前面に出す「謡」であったようだが、彼は拍子の魅力を加えた叙事的な〝語り物〟を創始したのである。

そしてこれらの父の才能を受け継いだ息子の世阿弥は、それに優る能力を横溢（おういつ）させた。叙事的な〝語り物〟に歌舞を軸として、情感あまりある幽玄の世界を表出する「能」の創始者となる。さらに日本の伝統芸能は言うに及ばず、現代のあらゆる表現の真髄をも活写すると言われる理論書「風姿花伝（ふうしかでん）」など、多くの演技論を残している。

ともあれ長い武士階級の庇護に始まり、明治期に入ってからの政治家、旧藩主、新興財閥人らの援助協力、そして家元制度の整備などによって、連綿と続いて来た能楽という芸能の足腰は強靭である。そしてなんと言っても驚異的なことは六五〇年という時間を貫徹する理論書が存在することである。

その事実は昨今とかく表層的な、新しきことのみに目を奪われがちな傾向を戒める意味でも、温故知新の必読書というべきであろう。

では能楽上演の構造を簡単に述べてみよう。

室町末期まで、能は神社の拝殿や芝生の上、または屋外の仮設舞台で演じられていたが、それ以後は能舞台の形式となったようだ。

能舞台は観客席に突き出て、四本の大きな柱があり、中央は三間四方のほぼ真四角な木造床張りである。向かって右手に地謡座があり、後方正面には囃子方と後見が座る。向かって左手には橋掛りが斜めに揚幕（切幕）までのび、演者が出入りする。〝語り物〟としての表現進行は〝地謡〟（合唱団）が受け持ち、囃子方は大鼓、小鼓、笛が担当する。


ここで能を演ずる上での演技者の大別を記そう。

「シテ」（爲手）つまり演技者のことであるが、一曲の中心になる人物を指す。一人で二役を兼ねる場合、能面（仮面）を使用する。

「ワキ」脇の爲手と言って「シテ」の傍らにいて、これと対立する演技者である。

「ツレ」爲手連。即ち同伴者であるが、第二のワキという重要な役目もする。

「トモ」役柄が「シテ」の従者である場合には、これを「トモ」と呼ぶ。

「立衆」人数に制限なく大勢登場する「ツレ」の総称である。

参考文献　「謡曲の音楽的特性」（小島英幸著・音楽之友社刊）

浄瑠璃（義太夫節）

「声明」から中世の「平曲」、そして「琵琶の語り物」となって発展する流れは、近世に入って三味線伴奏を加えた語り物、「浄瑠璃」を生み出した。その「浄瑠璃」で語られる義太夫節は、今から三〇〇年以上前の一六八四（貞享元）年に、大阪道頓堀に竹本座を開いた、竹本筑後掾（初代義太夫）が創始者である。

だが語るだけではなく、操り芝居、つまり生身の血が流れていない人形に、喜怒哀楽、あらゆる情を吹き込む演劇を現出させたのである。現在は大阪を拠点とした人形浄瑠璃「文楽座」によって継承されているが、当時は満都の人気を沸騰させたと言う。

それらの土台を構築し、名文・名物語を書いたのが、日本のシェークスピアと言われる、古典劇の代表的作者、近松門左衛門であった。この勢いは関西にとどまらず、東海道を東上、江戸浄瑠璃となって花開くのである。

常磐津

浄瑠璃が生まれて五五年目の一七三九（元文四）年、江戸で流行していた「豊後節」が、風紀上好ましくないと取り締まりに合い、これが常磐津誕生のきっかけとなる。

江戸で活躍していた宮古路文字太夫によって「常磐津」が創案されたと言う。いったん京都に帰った時、門人の宮古路豊後掾が、禁止された豊後節の艶っぽい部分を適当に消し、自らを関東文字太夫と名乗り、正式な「常磐津」の一派を興したのである。一七四七（延享四）年のことである。

以後、歌舞伎舞踊の伴奏音楽として、およそ二八〇年の歴史を持つことになるが、常磐津の特徴は、浄瑠璃と同じく、〝語る〟要素を強く持つと同時に、拍子が明確なことである。三味線は中棹を使い、演奏者は二人（二挺）、語り手（太夫）三人（三枚）が定型で「二挺三枚」と呼ぶが、最近は劇場機構が大型化することで「三挺四枚」の形式が多く見られる。

最盛期は一八五七（安政四）年とされ、幕末から明治にかけて、芝居好きの旦那衆に相当もてはやされた芸能である。

清元

禁止の憂き目にあった「豊後節」が、「常磐津」になったことは今述べたが、やはりその流れから誕生した芸能に「清元」がある。

豊後節が生まれて六七年目の一八一四（文化一一）年、宮古路斎宮太夫という人物が「清泉節」を創始。その新流派を樹立する時、清元延寿太夫と改名。約一〇年間数々の名曲を演じめざましい活躍をするが、一八二五（文政八）年凶漢に刺殺されるという不運に見舞われたと言う。

清元節と、その語り物の源流である浄瑠璃を比較してみると、節回しに装飾的技巧がほどこされていることが分かる。常磐津と同じく伴奏楽器は、中棹の三味線。現在まで歌舞伎の舞踊音楽として使われている。

今まで述べてきた「語り物」と違い「清元」は、物語や人物の心理に深く入ることより、江戸っ子の気質に合った洒落や粋を取り入れ、やわらかな音律と語り口を持ち、艶のある音色で統一されていることだ。これまた二〇〇年以上の伝統芸能となっている。

浪花節（浪曲）

「声明」から目を見張る「語り物」の拡大発展は、江戸後期に入って「浪花節」を誕生させる。そもそもは江戸中期以前、関西地方に発生した「難波ぶし」と称する詞を中心とした芝居咄。内容は講釈、物語であり、節は祭文、説教節、琵琶などの影響を受け、ちょぼくり、ちょんがれ、うかれ節などと呼ばれ、これらを総合して浪花節となった。

近世浪花節の祖は、享保年間（一七一六〜三六）に浪花伊助という人物が三味線を弾き、弟子に〝ちょんがれ〟を語らせたことに始まるとされている。この三味線一丁と語り手一人という形式は今も変わらない。

明治以前は、神社仏閣の境内で小屋掛け興行をしていたが、一八七四（明治七）年各地の寄席に出演し、落語、講談などの先行演芸として人気を集めた。やがて関西、東京を拠点とした浪曲が競い合い、隆盛の一途を辿る。

特に日露戦争後は、忠君愛国を鼓舞する時流に乗って大発展を遂げる。この期の近代浪曲確立の推進力となった三巨人は、桃中軒雲右衛門、吉田奈良丸、京山小円であった。

しかし大正中期以後は、映画の隆盛におされ衰退傾向となるが、昭和時代に入り満州事変以降から太平洋戦争にかけて、国家主義的な風潮に呼応、再び活気を呈す。

そして日本の敗戦、アメリカ占領軍の政策によって、軍事物、義士物など封建的演題はすべて禁止され、浪曲の不振時代となる。だが次第に復活。それに拍車を掛けたのが一九五一（昭和二六）年の民間放送の発足である。落語、漫才、講談などと肩を並べて浪曲は大衆芸能の雄となっていく。その中で戦前戦後を通しての名代（なだい）と言えば、二代目玉川勝太郎、広澤虎造、春日井梅鶯（かすがいばいおう）、三門博（みかどひろし）、東家浦太郎（あずまやうらたろう）、そして七色の声を使い分けた女流浪曲師・二代目天中軒雲月（てんちゅうけんうんげつ）（伊丹秀子（いたみひでこ））などである。

しかし現在、浪曲の存在は希薄さすら超えて消え去るのみという様相である。特に世の中がラジオからテレビ時代に入るや、その衰退の雪崩れ現象はますます加速、言葉の妙と展開、物語の起伏に最大の面白さを誘発する〝語り芸〟は、テレビ映像表現から、ほぼ完璧に敬遠されてしまい、わずかに寄席や高座で見かけるばかりである。寂しい限りである。

落語（らくご）

さて、今まで述べて来た「声明」から派生した「現代日本音楽の分類」の範疇に入らない分野の一つが、落語である。なぜ入らないかと言うと、他の「語り物」と違い基本的には伴奏楽器を使わずに語る滑稽話（こっけいばなし）であるからだ。しかし日本の「語り物芸」を論ずる以上、欠かすことのできない話芸である。

その上、落語の源流を辿れば仏教の声明に至り、それを下れば説教、説話へとつらなり、千数百年の歴史を脈々と伝承発展して、近代に及んでいるからである。

話を四、五〇〇年前に戻せば、中世の説教の家元的存在として、天台宗の安居院（あぐい）流と三井寺（みいでら）派があげられる。いずれも芸風説教を奨励し、秀でた弁説家を輩出した。しかしこのことは仏法を説く目的の説教を、俗受けの内容にしてしまったという批判もあるようだが、それらが後世の落語という話芸に繋がっていくのであるから、文化という物の不思議さを感ぜずにはいられない。いずれにしろそれらの説教が、譬喩、因縁談に力を入れた説教性、娯楽性、芸能性、文学性を豊かにして行ったのである。

これが近世に入ると安居院流は、三井寺派を吸収して、説談説教を大きく発展させ絶妙な話芸を生み出す。そして主として浄土宗、真宗で伝承され、やがて江戸時代を経て明治、大正、昭和初期まで及んでゆくのである。

その戦国時代から安土桃山に至る歴史の中に、近世の代表的人物となる浄土宗・安居院派の説教師、安楽庵策伝（一五五四〜一六四二）がいた。彼の特技は滑稽説教で「咄」の末尾に「落ち」（サゲ）をつける小咄であった。なんとこれが記録され後世の落語の種本となっていると言うのだ。

ちなみに古典落語の中から仏教思想と関係が深い咄しをいくつか抽出してみよう。

江戸時代に盛んであった日蓮宗（法華宗）系統の落語の代表作としては『鰍沢』『甲府い』（別名『法華豆腐』『法華長屋』）などがあり、曹洞宗（禅宗）の説教をそのまま落語化したと言われている『野ざらし』『蒟蒻問答』などは、数多ある落語の中でも傑作と称される古典の代表咄である。

ここ数年、テレビ・ラジオでも復活の兆しを見せつつあるものの、日本の伝統的な〝語り物芸〟はほとんど埃をかぶって放置されている状態だ。おまけに瞬間的な反射神経のみを駆使する情報表現媒体に飼い慣らされた放送視聴者の多くは、すっかりものぐさになってしまったのか、わざわざ寄席などに落語を聴きに出かける奇特な人は減少するばかりである。

つまり多くの人々は、出かけたその場その場の雰囲気に浸り、演者との一期一会の芸との出合いの面白さを忘れてしまっているのだ。同じ生きた時間と空間の中で、笑い泣き交流しながら、客に芸人が育てられ、芸人が客を育てる。この相互関係はあらゆる芸能に共通する重要なことであり、本書が書き進めている、第三者に読み聞かせる「朗読」とて同じことである。

その上、これまで述べてきた「落語」の源流が、仏教思想に裏打ちされた芸能であるならば、広い教育という見地から言っても、下手な道徳教育などに固執するより、世の中の酸いも甘いも笑いにくるんで語る「落語」の効用は、絶大ではないか……、人生の何たるかを知る生きた教科書と言っていいだろう。

話が少々本題から逸れた。元に戻そう。

落語は「ハナス」（話す）の分野に入るが、ここで簡単に「話芸」の言葉表現を分類してみよう。

□「ヨム」（読む）

文字を熟読するのではなく、声を出して読む「音読」のことを指す。寄席芸能では「講談」あるいは「講釈」がこれに当たるが、これも元々は僧侶が机を前に置いて、仏教の教典をわかりやすく講義する形である。

□「カタル」（語る）

これは節をつけて朗読することで、今まで述べてきた浄瑠璃や浪花節がそれに当たる。両芸はいずれも「節」の部分と「地」（セリフ、会話）によって構成されている。浪花節では「地」の部分は「タンカ（啖呵）」と言う。

□「シャベル」（喋る）

二人、または三、四人の対話、会話によって演じる芸能。漫才、コントなどがこれに当たる。

□「ハナス」（話す）

これが落語を指す。右に述べて来た言葉分類と比べると、より日常的にくだけた話し方を基本とするのが、落語、漫談である。話しの内容は講談、浪花節のように台本（脚本）の存在を感じさせず、その場で即席に話をしているが如く話すのが落語と言うわけだ。そして話が本題に入れば入る程、演者の存在が消え、物語と登場人物が表に現れなければならないのである。

以上、四つの分類は、あくまでも芸能という分野で判断されている分析であるが、私たちは日常「ハナス」「ヨム」「カタル」「シャベル」を漠然と使用していることが多い。しかし「朗読」研究をする上において、芸能における言語分類はいろいろな角度から見ても参考になるはずだ。

最後に記しておきたいことは、基本は滑稽話だが「落語」を大きく分類すれば「人情ばなし」「芝居ばなし」「怪談ばなし」となる。

参考文献　「説教から落語」(関山和夫著・雑誌「国文学」古典落語の手帖・学燈社)
「落語を楽しもう」(石井　陽著・岩波ジュニアブック・岩波書店)

第一章　朗読の基礎

「アイウエオ」五〇音

大学の新規受講生に向かって「アイウエオ五〇音の練習を……」と言うと、「なんで今更？　小学生じゃあるまいし……」と言って怪訝な顔をする。では小学生時代にそんな練習をしたことがあるかと問えば、たいていの学生はやっていない。

聞けば幼少期はおろか、中高校時代を通じて、日本語の発声基本を習った体験の痕跡は、全くと言って良いほどないのだ。受験戦争社会が引き起こした、極度の暗記型学習による欠陥現象の一つと断じて間違いあるまい。

しかし学生ばかりを責めるわけにいかない。日本の教育現場に、それらをきちんと指導する教師がいないのが現状であり、彼らもまたそうした訓練を受けた経験がないからである。日本語は生まれながら使っている言葉なので、特別訓練する必要性を感じないままに教師になっている。では、教育行政の中に日本語の発声基本に関する実習領域があるかと問われても、寡聞にして知らないのである。

さてこの章を展開する上で、知っておくべき五〇音図の成り立ちを簡単に述べよう。その端緒は八三八（承和五）年、遣唐使の一人として中国へ渡った、当時四四歳の円仁（後の慈覚大師）にさかのぼる。彼は古代インドの文字から発達した梵字を学び、やがてその一覧と発音法を記した「悉曇章」を授かるのである。そして平安初期の仏教の主流であったインド密教の創始者・仏陀の言葉を正確に発音する流れの中で、円仁のみならず、空海などの努力によって案出され整備されたのが、日本語の基礎となる五〇音図なのである。

その日本語は、音節（拍）の構造が〈子音＋母音〉を基調としている。そして世界地図を見れば一目瞭然、海に囲まれた島国という特殊性を持って形成されてきた日本語は、その音韻の基本をアイウエオの短母音にしているのである。

一方、国語研究者の定説では、奈良時代の母音はア・イ・ウ・オの四つしかなかったと言う。するとアイウエオの「エ」が加わってから始まる五〇音順はどんな変化、変更、追加を伴って発展してきたのか、と問われそうだが、今のところこれだという定説はないのである。

だが仏教伝来による仏儀には、必要不可欠であった声明との関連を否定することはできない。また特に注目しなければならないのは、中国より渡来した漢字文化を日本的に咀嚼（そしゃく）する上で重要な役割を果たした、「平仮名」と「片仮名」の発生に注目しなければならない。つまり仮名文字を音節文字として組織化する必要が生じ、結果、五〇音が誕生したと見て良いのであろう。

しかし、平安時代中期の音節の総数は六七、奈良時代に入るとその六七のうち、二〇ないし二一の音節が別個の形となり、万葉仮名で書き分けられたと言う。すると当時の音節の数は八七から八八とも考えられるが、これらが混合する形で、いつしか五〇音が定着していくのである。

参考文献　『朗読法精説』日下部重太郎著・中文館（一九三二）

日本語の基礎音

次の図表は「母音字の排列」と言われ、発声時の舌の位置と口の開き具合、音の高低を仮定したものである。なお、仮名は音節文字ではあるが、音韻組織や音韻変化に説明しにくいということから、通常、音声学上はローマ字で対照としている。本書もそれに倣って、音韻表記にはローマ字を付記する。

(A)

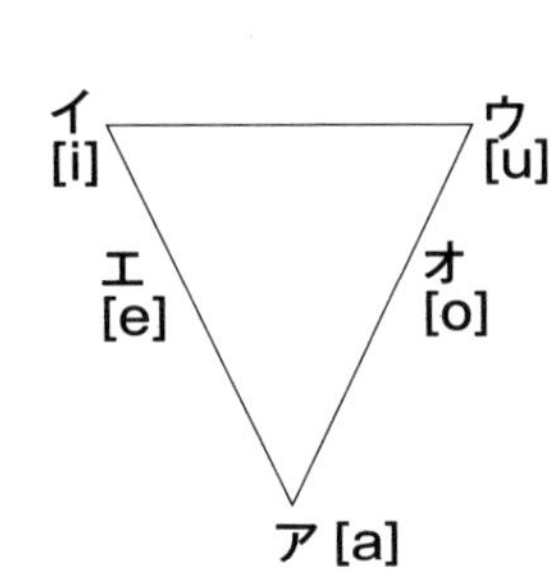

※アイウエオの祖図は天台座主（天台宗の最高位の僧。比叡山延暦寺の住職）、良源伝本を参考にしたもので「母音三角」と呼ばれている。

天台宗はインド、中国に起こり、鑑真（がんじん）、最澄（さいちょう）によって平安初期（八〇五年）に日本へ伝えられた仏教の一派である。

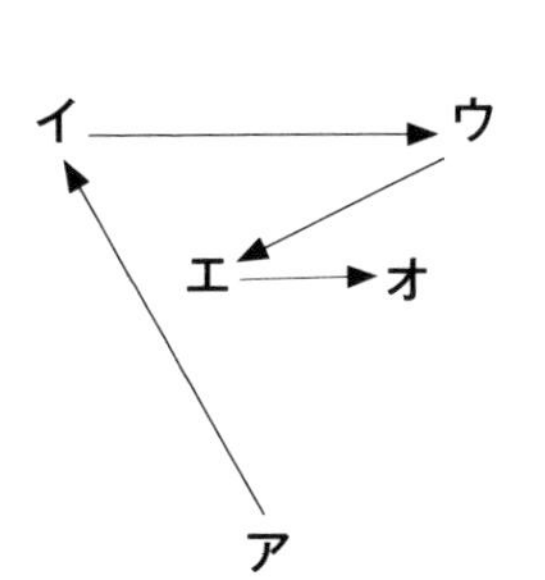

※図の線と矢印は音の運びの方向と音程を表している。

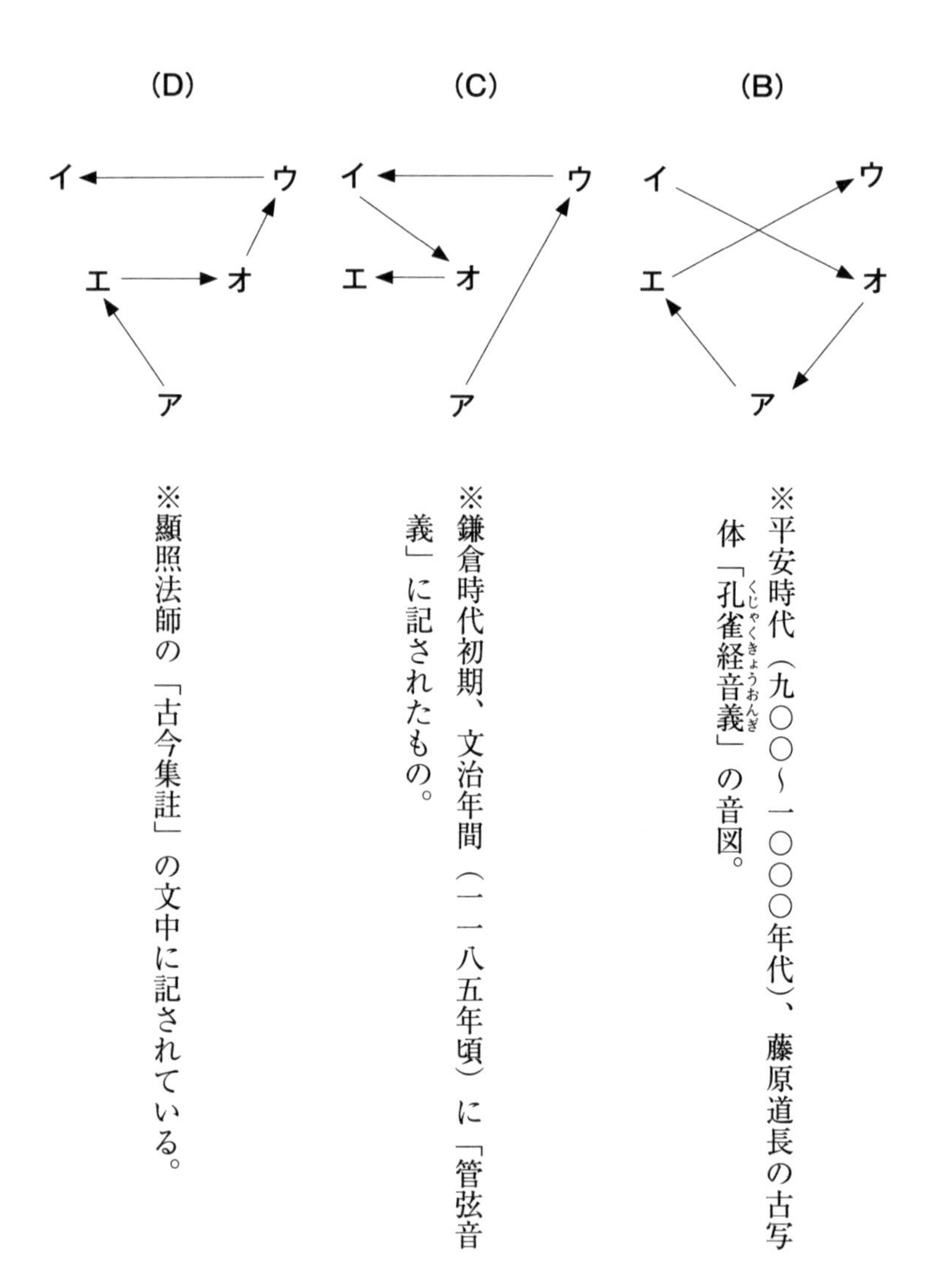

※平安時代（九〇〇〜一〇〇〇年代）、藤原道長の古写体「孔雀経音義（くじゃくきょうおんぎ）」の音図。

※鎌倉時代初期、文治年間（一一八五年頃）に「管弦音義」に記されたもの。

※顕照法師の「古今集註」の文中に記されている。

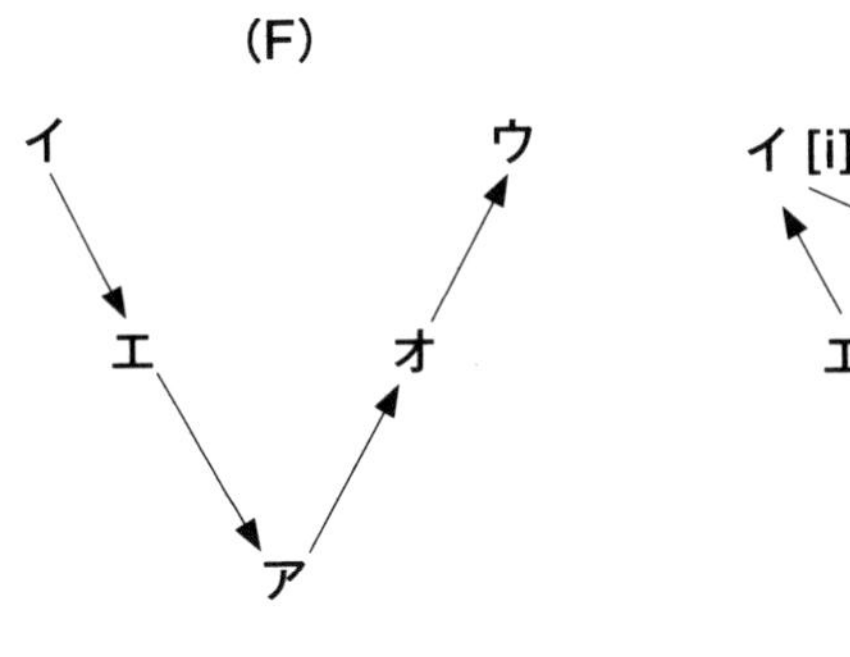

※西洋のアルファベットによる母音字の排列。安土桃山時代の文禄年間（一五九二〜九六）、「吉利支丹（きりしたん）教義」に記されたローマ字書き。

※上図は、前母音から中母音へ、中母音から奥母音へ進む形。

さてこのような日本語の音韻による骨組みが、今から一二〇〇年前頃に発案され、それらが発展する道筋で「万葉集」が詠まれ、世界最古の小説と言われる大長編の「源氏物語」が女性である紫式部の手によって書かれた歴史は、他の国に類を見ない驚異的な事例であろう。

それ以後日本語は長い歴史の波にもまれながら、常に貪欲で頑丈な胃袋を持った咀嚼力のある言語となったのではないか。

古代エジプトで生まれたと言われる象形文字や中国の漢字文化を積極的に取り入れ、日本的な表意文字を作り出し、そこに平仮名と片仮名文字を音節的な表音文字として組み合わせて文章化してしまった、日本人の言語感覚と能力は並大抵の才能とは思えないのである。

インド、中国、朝鮮からの外来文化の時代、そして戦国から江戸期に入ってのポルトガル、オランダ、イギリス、アメリカなどの西洋文化の侵入という潮流の中でも、日本語はその基本型を崩すことなく、なんでも受け入れ飲み込み改良、改変、応用してきた。

しかし近年、大方の人々が日本人の言葉が乱雑、混乱、ゆるゆるに緩んだ緊張感のない発声、喋り方になっていると言う。おまけに若者を中心とした言葉の短絡化は進む一方であり、さらに横文字片仮名表記の氾濫はとどまる気配すらない。それは外国語を片仮名で表記する便利さを編み出した日本人が、今やその便利さに溺れ、ただただ冗長なあるいは意味不明確な短絡語の濫用に突入しているからではないか。

ここで情報工学を専門とする鹿児島大学教授、村島定行氏の一文を紹介（抜粋）しよう。「カタカナ語はんらんの意味」（朝日新聞「論壇」に掲載）

①カタカナ語は長くなることが多い。「リストラクチャリング（再構築）」では長過ぎるので「リストラ」という短縮形が必要になる。

②カタカナ語は表記法が一定しない。motivation（動機付け）のカタカナ表記は一般には「モチベーション」だが、「モティベーション」と書く人がいてもおかしくない。

③カタカナ語からは言語が推定しにくい。「シラバス（授業計画）」という単語を英語のつづりで正しく書ける人がどれだけいるだろうか。

④カタカナ語は通常、外国人は読めない。したがって外国人のための標識に使えない。カタカナ語を使っても外国人と筆談できない。

（中略）

以前、学内で「アントレプレナー・ゼミナール」という掲示を見た。数人に意味を尋ねたがだれも分からなかった。なぜ「起業家講座」としないのか。よく使われる「ディスクロージャー」も「情報公開」でいい。ほかにも「フラワーアレンジメント」「ガーデニング」といったカタカナ語は「生け花」「園芸」で十分ではないか。

（中略）

日本語の表音文字と表意文字の双方を使うという特徴は、日本人および日本文化のユニークさの源泉である。カタカナ語が増えれば、対応する日本語の単語が消えるだけでなく、見るだけで意味が推測できるという日本語の特長が失われる。

（中略）

カタカナ語のはんらんは、日本人と日本文化にとって混乱と災難を意味するのではないか。

以上の村島氏の論旨に私は全面的に賛意を表するが、日本人は外来語の短縮化の名人と言えば言えそうだ。

一つだけ例を挙げれば「サボる」。この「サボる」は「サボタージュ」が短縮され、さらに完全に日本語に飲み込まれた単語となっている。こうして次々と外来語を日本語化するならば、ますます外国人にとって日本語は理解に苦しむ言語になってしまうのではないか。国際化どころか、国際化に逆行する風潮である。

ところで読者の手元にある新聞の映画広告をご覧いただきたい。外国映画の九〇パーセント、いや一〇〇パーセントが外国語原題をそのまま片仮名にしていることに気付くはずである。

それらの中でどれ程の題名が、即座に意味を理解させ、内容のイメージを湧き上がらせることができるだろうか。その片仮名の意味を正確に理解し、原語の綴りを完璧に書き表せる人はいったいどのくらいいるだろうか。一昔前の外国映画宣伝マンたちは、必死に知恵を絞って作品内容に添った原題の趣きを壊さない、あるいは完全に日本語化した題名を考え出していた。

正確な音韻性は望むべくもない外国語に対する片仮名の濫用、視覚性を軽視した外国語の片仮名化への過度な傾斜は、日本人の文字文化を衰弱させはするものの、決して豊かな国際化の中の独自性を謳歌することにはならないのではないかと思うのである。

繰り返しになるが、片仮名は音節文字であっても、音韻の組織や変化を明確に表記する文字ではない。その上、片仮名の濫用は日本人が持つ優れた視覚的表意の能力を奪う、恐るべき退化現象への促進につながると考えるのは筆者だけであろうか。

発声と呼吸

では、前項の「母音字の排列」を参考に、アイウエオの正確な発声練習に入ろう。常に音程を自分自身の耳で確認しながら練習してもらいたい。これはどんな文章を朗読するにも必要な自己確認の作業だからだ。音程がしっかり取れない朗読は、物語性、意味性、物事の描写力、事象の遠近性が混乱し、ただ言葉が断片となって聴き手に届くだけという結果になるのである。

人にはそれぞれの声質があり、高い音、低い音の幅にも差がある。訓練によって声質や音域は豊かに広がるものだが、まずは個々人の発声能力にしたがって練習を重ねることである。なんだかんだと頭で考えるより、多種多様な文章を、読みに読んで身体で憶えることが、なによりも朗読上達術の第一歩である。そして口先だけで読まず、全身、全呼吸を使って読む。少し長い物を読んでみれば分かることだが、舌が回らなくなるだけでなく、意識が遠のく体験もするはずだ。

それ程にしてこそ、他人に朗読を聴かせ、ある作品を伝える力が生まれてくるのである。気楽に朗読をやってみようと言う人にとっては、腰の引けてしまう話だが、先の先にはそれほどの過酷な道があることを知っておくのも無駄ではあるまい。

それでは息の吸い方、吐き方について。

以下は私がインド取材中（テレビドキュメンタリー番組のため）に教えられた、ヨガ的な呼吸法である。

まず、座る場合でも立つ場合でも、姿勢を正しく背筋をまっすぐにして、全身の力を抜いてリラックスする。座っている時は、両手を膝の上に軽く置く。私は基本的には、声を出し朗読の練習をするには、両足をやや開き気味にして、立って声を出すことを勧めたい。つまり口先だけではない、全身を使う朗読に適した姿勢だと思うからだ。これによって訓練を重ねれば、後は座って朗読しようが横になろうが、全身朗読の方法を身体が憶えているはずだ、

姿勢ができたところで、口を軽く閉じ、鼻より鳩尾（みぞおち）のやや上あたりを目指して、息をいっぱいに吸い込む。そして次に吸い込んだ息を、神経を緩めることなく口から徐々に、ゆっくり吐き出していく。

その呼吸運動の時、ただ口と鼻だけを意識するのではなく、全身の毛穴まで神経を配り、吸い、吐くことが大切なことだと言う。

つまり無駄なく呼吸を往復させる心得は、朗読の息の使い方に密接な関係性が出てくることを留意してもらいたい。それらは具体的な作品朗読の章で述べることにする。

さて、私がこれまで述べてきた呼吸法は、インド取材時に教えられたヨガ的なものであって、必ずしも朗読の呼吸に適しているかどうか……、しかしまったくの的外れであっ

たり、不適切であったりするものではないことは確かであろう。

ところで、もう一つ発声と呼吸法の中で忘れてはならないものに腹筋の鍛錬がある。まさか格闘技をやるわけではないのだから、棒でたたかれても平然としている類の腹筋を言うのではない。朗読上、それなりの声量とともに要求される、明快で適確な発声と発音には、どうしても腹筋力が必要とされるからだ。

私はいつも一流のスポーツ選手を見ていて思うことがある。彼らのほとんどは豊かな声量があり、喋り方も明瞭であり、歌を唄わせれば音程もリズム感も優秀なことだ。これはスポーツという肉体訓練によって鍛えられた腹筋、呼吸法、そして身体全体のリズム感がなせる業なのであろう。つまり、これなくして一流のスポーツ選手にはなれないからだ。「朗読者」とて同じ条件を、「声と言葉」に集約させた形で実現しなければならないのである。

発音・発声の種類

日本語の音節（拍）の構造が〈子音＋母音〉を基調としていることは、既に述べたが、ここで五〇音に基づく発音の種類などについて記してみよう。

まず、仮名の音をローマ字綴りに対照した一覧表をご覧いただきたい。音声による種別にも使用できるものである。以下の図表は昭和三年に東洋文庫から発行された「文禄元年　天草版吉利支丹教義の研究」において、橋本進吉氏が起草した「吉利支丹教義」のローマ字書きから帰納したものと言われている。

音声・音韻

〈母音〉

日本語には「アイウエオ」五つの母音がある。これを細かく分類して発声時の舌の位置などを確認してみよう。「ア」は非円唇低母音。「イ」は非円唇前舌高母音。「ウ」は非円唇後舌高母音。「エ」非円唇前舌中母音。「オ」円唇後舌中母音。

右の母音を組み合わせた言葉を例にとってみよう。

愛（アイai）これらの母音は固有の音の価値を持った言葉であるから「連母音」と呼ばれるが、これと同じ音で成り立つ英語は、「私」の意味のI（ai）となる。

しかしこの英語のaiは、母音「a」位置から母音「・i」に向かって一つの音韻となって移動するもので、「連母音」という日本語の構造体とは異なるものである。

仮名の音をローマ字と対照した図表

ア	イ	ウ	エ	オ			
a	i	u	e	o			
カ	キ	ク	ケ	コ	キャ	キュ	キョ
ka	ki	ku	ke	ko	kya	kyu	kyo
サ	シ	ス	セ	ソ	シャ	シュ	ショ
sa	shi	su	se	so	sha	shu	sho
タ	チ	ツ	テ	ト	チャ	チュ	チョ
ta	chi	tsu	te	to	cha	chu	cho
ナ	ニ	ヌ	ネ	ノ	ニャ	ニュ	ニョ
na	ni	nu	ne	no	nya	nyu	nyo
ハ	ヒ	フ	ヘ	ホ	ヒャ	ヒュ	ヒョ
ha	hi	hu	he	ho	hya	hyu	hyo
マ	ミ	ム	メ	モ	ミャ	ミュ	ミョ
ma	mi	mu	me	mo	mya	myu	myo
ヤ	イ	ユ	エ	ヨ			
ya	i	yu	e	yo			
ラ	リ	ル	レ	ロ	リャ	リュ	リョ
ra	ri	ru	re	ro	rya	ryu	ryo
ワ	イ	ウ	エ（ヱ）	オ（ヲ）			
wa	i(wi)	u	e(we)	o(wo)			
ガ	ギ	グ	ゲ	ゴ	ギャ	ギュ	ギョ
ga	gi	gu	ge	go	gya	gyu	gyo
ザ	ジ	ズ	ゼ	ゾ	ジャ	ジュ	ジョ
za	ji	zu	ze	zo	ja	ju	jo
ダ	ヂ	ヅ	デ	ド	（ヂャ）ジャ	（ヂュ）ジュ	（ヂョ）ジョ
	(dji)	(dzu)			(dja)	(dju)	(djo)
da	ji	zu	de	do	ja	ju	jo
バ	ビ	ブ	ベ	ボ	ビャ	ビュ	ビョ
ba	bi	bu	be	bo	bya	byu	byo
パ	ピ	プ	ペ	ポ	ピャ	ピュ	ピョ
pa	pi	pi	pe	po	pya	pyu	pyo

【補足】「ガ行」は濁音であるが、鼻濁音は下記で表す。

ガ　ギ　グ　ゲ　ゴ
ŋa　ŋi　ŋu　ŋe　ŋo

〈子音〉

日本語の子音は多様である。五〇音から拾い出すとカ行、サ行、ザ行、タ行、ダ行、ナ行、ハ行、バ行、パ行、マ行、ヤ行、ラ行、ワ、ンなどである。

「カ行」の子音は、後ろの舌が上に持ち上がり、軟口蓋に接触するので無声軟口蓋閉鎖音と言う。これが「ガ行」になると、ローマ字で表せばga・gi・gu・ge・goという有声音となり、濁音と呼ばれる。しかしこれを軟口蓋の後部を下げ、鼻に響かせて発すれば鼻濁音となり、ローマ字で表記すれば、ŋa、ŋi、ŋu、ŋe、ŋoとなる。この鼻濁音についての具体的な言葉の発声については、作品朗読において指摘したい。

濁音、鼻濁音の解釈には諸説あり、またここ三〇年ほど前から乱れに乱れているせいか、それほど重視しない向きもあるようだ。しかし、日本語の同音でありながら、まったく意味の違う言葉がたくさんある言語では、発音上の微妙な変化は重要な意味を持ってくるので、いい加減な扱いは避けなければならない。

次は「サ行」である。

「サ」は舌先を歯茎に近づける無声の摩擦音。「ザ」は舌先を一度歯茎に触れさせ、強くしぼめて音を出す。つまり閉鎖音と破擦音が合体した歯茎破擦音である。「シ」は舌の前面を歯茎の後部に接近させる、無声硬口蓋の摩擦音となる。

「タ行」は舌先を歯茎につけた、無声歯茎閉鎖音であるが、「ツ」の子音となると舌先が歯茎に触れ、そこから離れるときに摩擦音を立てるので、無声歯茎破擦音となる。「チ」はどうなるかと言うと、舌の前方が歯茎に接した後、後方部をせばめて発するので、無声硬口蓋歯茎破擦音と呼ばれる。

「ダ行」は有声歯茎閉鎖音であり、ザ行の「ジ」「ズ」に一致する。

「ナ行」はやはり舌先を歯茎につけ、鼻に息を抜く感じで発音する歯茎鼻音である。しかし「ニ」は前の舌が硬口蓋に接するので、硬口蓋鼻音となる。

「ハ行」は声門の摩擦音が基本となるが、「ヒ」においては前の舌が硬口蓋に持ち上がり発声する摩擦音。「フ」では上下の唇がせばめられる両唇摩擦音となる。

それに「パ行」「バ行」であるが、これらは上下の唇を閉じてから再び開き、破裂音を発する両唇閉鎖の無声音と有声音が使われている。

「マ行」は唇を閉じ、鼻が息を出す形で唇を開く両唇鼻音。「ヤ行」は前の舌が硬口蓋に近づいて、次の母音に移る摩擦の弱い硬口蓋音である。

「ラ行」は舌先の裏側で、歯茎から上あごをこするようにはじく、つまり歯茎弾音(はぐきだんおん)となる。

最後に「ン」であるが、これは後ろの舌が軟口蓋の後部にある、口蓋垂(こうがいすい)に触れながら鼻から息を出す口蓋垂鼻音で「撥音(ばちおと)」とも言う。しかしこの「ン」は、前後の言葉との関係性において、ほとんど無声音的な響きとなる場合が多い。

以上の分類のほかに、日本語の子音には「拗音（ようおん）」「促音（そくおん）」と呼ばれる音韻がある。拗音は子音を発するとき、前の舌が硬口蓋に向かって盛り上がる「キャ」「ギャ」（濁音と鼻濁音があるが……）「ミャ」「リャ」「ピャ」「ビャ」「シャ」「ジャ」「チャ」「ニャ」などである。

「促音」はつまる音のことであるが、発音時に閉鎖や摩擦が長く行われる状態を指す。「イッカツ」「イッパイ」「イッサイ」「イッチョウ」などが例として挙げられる。

参考文献　世界大百科事典（平凡社刊）

早口言葉の練習

実践的な朗読法に入ろう。言葉のアクセントについてはNHK出版刊行「発音アクセント辞典」を参照していただきたい。

声明（しょうみょう）から説教、そして語り物の数々、さらに落語という「話す」の音読を基本とした長い伝統が存在する日本には、もちろんそれなりの技術指導書があっても不思議ではない。それは「早言集（はやごとしゅう）」と呼ばれるものである。「早言集」に類する練習パターンは日本だけでなく、中国、イギリス、フランス、ドイツなど諸外国にもあると言う。本書においては当然日本語「早言集」のいくつかの例を取り上げる。

その前に、音読する上での注意だが、とかく〝早口言葉〟というので、ただやたら早く読もうとする人がいる。どんな文章でもそうだが、その文章が持つ構造と、文脈にはリズム、テンポがあり、一つ一つの文節における言葉の響きと意味との関連性があるはずだ。読み手がそれをどこまで把握し、声によってどこまで表現できるか……、この意識を持ってまずゆっくりと読み、自分の耳で確かめ、身体に憶えさせることが肝心である。それができて、初めてどこまで早く読み、聴き手に正確に伝わるかということになるのである。

このことを忘れずに、以下いくつかに分類して「早言集」の例を挙げる。いずれも旧仮名使いである。


〈頭韻を踏むもの〉

○歌うたひの前で、歌うたふ様な、歌うたひなら、歌うたひの前で、歌うたふけれども、歌うたひの前で、歌うたふ様な、歌うたひでないから、歌うたひの前で、歌うたふことが出来ぬ歌うたひ。

「頭韻を踏む」早口言葉であるから、右の文の注意点は「歌うたひ」の出てくる箇所での音の高低、前後の関係における抑揚に鍵があると思ってよいだろう。また、文中にある肯定と否定の意味を汲み取って読んでもらいたい。

○家の小僧に、寒三十日寒念仏を、申せと申し付けましたが、申した事やら申さぬ事やら、申したら申したと申しませうが、申さんけりゃこそ、申したと申しませぬ。

○瓜売りが、瓜売りに来て、瓜売り売り帰る、瓜売りの声。

この早口言葉はごく一般に知られた文句だが、ただ平板にすらすら読めれば事足りるというものではない。瓜を売りにきた人がある場所に近づき、結果としては売り残りが出てしまい、ちょっと淋しげに、あるいは少し肩を落とした感じで売り声を出しながら、その場所を立ち去っていく。そんな情景を想像して読む。そのことである事象の遠近と動きを声で感じさせることが出来るはずである。何度か読んで体験してもらいたい。

○思はじと、思ふ物を、思ふなり、思はじとだに、思はじや君。

典型的な大和言葉の言い回しであるが、漢字が日本に渡来し、やがて我が民族は言語の天才的な工夫と発明によって、仮名文字を創り出したと言われている。その仮名文字作成の上で二つの方法が案出され、一つは漢語の音をそのまま取り入れる漢音（呉音）方式。もう一つは漢語の意味（訓）を取り入れる方式である。右の早口言葉の頭韻に出てくる「思ふ」は、漢音では思「し」であるが、意味（訓）にすると「おもふ」となる。その意味を縦横に使い、大和言葉の繊細な叙情性と、観念的ではない微妙な言い回しを折り重ねるように綴る文脈は、日本人の感性の宿る天賦のものなのであろうか……、そんなことを考えながら読んでもらいたい。

次は「御」（大和言葉では「お」、漢音では「ご」（濁音）となる）をふんだんに使った言葉である。「お」は尊敬の意味と自分をへり下る場合に使ったりする。

○御門跡様の、お庭のお池の、お蓮のお葉に、お蛙のお子が、お三匹おとまり遊ばして、お山椒のようなお目を、おぱちくりおぱちくり。

「門跡」とは、祖師の法門を受け継いでいる寺や僧侶のこと。つまり一般的には尊敬の対象となる場所や人物を指す言葉である。最後は「おぱちくりおぱちくり」と言う、日本語の顕著な特徴と言われる擬音的、擬態的な言葉が出てくる。言語学的に言うと、日本語は他国語には見られない、驚くほどの擬音、擬態語を持っていると言われている。このことについて他のところでも折に触れて記述してゆくつもりだ。

○神田鍛冶町の、角の乾物屋の、堪兵衛さんの所で、勝栗買ったら、固くて噛めない。
返しに行ったら、堪兵衛の内儀さんが出てきて、癇癪起こして、かりかり噛んだら、
かりかり噛めた。

江戸期の町人、商家の様子を描いた早口言葉であるが、この言葉に限って言えば、語っている主人公が何者であるか、それを指す言葉は出てこない。しかし「乾物屋に買い物に行った……」言葉の言い回しから言って多分男性が、買った品物の状況と、返却に行ったときの様子を述べ、癇癪起こして勝栗を食べてしまう結果を、簡潔に綴り、最後は日本語の得意とする擬態語でまとめている。これを音読する場合に、言葉上には出てこない主人公を想定し、やや滑稽話風に練習することを勧めたい。

○京の三十三間堂の、仏の数は、三萬三千三百三十三体ござると言ふ、
ほんとに三萬三千三百三十三体ござるか。

○為せば成り、為さねば成らず、成るものを、成らぬといふは、為さぬなりけり

この早口言葉は、私など子供の頃から良く聞かされた〝諺〟〝警句〟の部類に入るものだが、これとても日本語が持つ即物的な韻を踏む形の面白さを十分に備えている。よくよく考えてみると、整合性を持って論理的に説明するのは少々苦労するが、しっかりとした言葉の響きと、音韻を踏んで発声するならば、納得する説得力のある言葉となっている。つまり表音的な力を持った言葉と言えるのではないか……。

〈脚韻を踏むもの〉

次は濁音、鼻濁音や摩擦音的閉鎖音を連発しなければ、なかなかうまく言い回せない早口言葉である。脚韻とは、句や行の終わりに同じ音を使い、韻を揃えることである。

○隣のくゞり戸は、栗の木のくゞり戸、くゞりづらいくゞり戸、くゞりつければ、くゞりいゝくゞり戸。

○南無釈迦ぢや、娑婆ぢや地獄ぢや、苦ぢや楽ぢや、どうぢやかうぢやと、
言ふが愚かぢや。（一休和尚）

〈紛れやすい類音を含むもの〉

多くは頭韻と脚韻を兼ねる。

○青菜葉、赤菜葉、赤菜葉、青菜葉。

○家の行燈丸行燈、隣の行燈丸行燈、向ふの行燈丸行燈、三つ合わせて
三丸丸丸行燈。

○家の茶釜は、青銅空茶釜、隣の茶釜も、青銅空茶釜、向ふの茶釜も、
青銅空茶釜、三つ合わせて三青銅空茶釜。

まさに似た音韻を持つ言葉が、終わりに近づくにしたがって、幾つにも重なってくるところが発声の妙であり、むずかしい点であろう。
まだ面白い類韻を使った早口言葉があるので紹介しておこう。

○お客が柿むきや、飛脚が柿食ふ、飛脚が柿むきや、お客が柿食ふ、お客も飛脚も、よく柿食ふ飛脚。

○高野の坊主が、東寺の坊主の屏風に、東寺の坊主の絵を畫いた、その屏風を東寺の屏風にしよう。

○生鱈、生魚、生がつを。

○湊の長町、曲りにくい七曲り、曲って見れば、曲りやすい七曲。

〈面白く拍子を取るもの〉

まず擬態語が長々と出てくる早口言葉。

○奥山で、きじと狐と、猫と犬とが集まって、何といって鳴いていたか、ケンケンコンコン、ニヤンワンワン、ワンワンニヤンニヤン、コンコンケン、ケンケンコンコン、ニヤンワンワン。

次は落語界では、大変に有名な噺「寿限無」の一節を紹介しよう。出入りの大工に子が生まれたことを知ったご隠居が、その子の長命を祈って付けた、恐ろしく長々とした名前である。

○寿限無寿限無、後光の精力で、貝殻水魚の水魚ばち、雲来ばち風来ばち、くねる処に住む処、油小路の薮小路、ぱいぽぱいぽ、ぱいぽのしうりんがん、しうりんがんのぐうりんだい、ぐうりんだいのぽんぽこりん、ぽんぽこりんの長久命の長助。

この長い名前をご隠居が噛んで含めるように大工に教えようとする。だがなかなか一度では憶えきれない。そこでご隠居と大工の口移しが始まる。その間違ったり突っ掛かったりのやりとりが、お客の笑いを誘う。練習をする場合も、そんな場面を想像しながら声を出すことで、自分なりの人物設定ができるはずである。後の朗読実技に役立つので実行してもらいたい。

発声と呼吸（その2）

ここで読み手と聴き手の交流について述べてみたい。女性のみで立ち上がった前橋朗読研究会「BREATH」（呼吸）は、地元テレビ局のアナウンサーを中心にした会である。彼女たちは「声」と「言葉」を駆使する職業だが、放送現場を去ると、そのほとんどがイベントや結婚式、葬式などの司会進行の仕事に付く人が多い。これらの仕事では、自己表現力や自己に隠れている他者、それらを表現することは要求されないのだ。

ところが「朗読」という世界は、文学作品、童話作品、民話を音読する上で、個性的な自己表現力が要求されるのである。そして、読み手と聴き手の無言の交流が生まれてくる。個性と声質は、似せることは出来ても、完全に同じになることはない。

ではいったい人間の声質はどのくらいあるのだろうか。似ている人はいても、完全に同質の声は存在しないと言い切れる。そこに音声表現の面白さと魅力があるのだが、例えば同じ作品を別な人に読ませても、絶対に同じにはならず、それぞれの音質による特徴が出るのである。この違いが音声表現の醍醐味でもある。

まず発声だが、人間の体は楽器である。その楽器は、その人その人が持つ身体能力と無関係ではない。発声はその人その人の楽器を、どのように鳴らし響かせるかだ。そのことを個人個人が自覚し、よりよく自己の身体楽器の特徴を引き出すかが肝要である。音楽で使用される楽器も同じである。多種多様な楽器の特性を意識して、その楽器の体内に音を響かせ、音を出す。人間も同じである。

声は喉から出る。しかしその喉はあくまでも音を外に出す管に過ぎない。その管のみに頼っていると、声は薄っぺらなものになり、それを続けていると当然、喉を壊す。人間の体全体を楽器とするならば、その発声法はどうなるだろうか。

大きく三つに分けて見よう。腹部、胸部、頭部に、まず発した音をぶつけ、響かせるのだ。その響かせた音を喉の管を通して外へ出す。腹部は低音系、胸部は中音系、頭部は高音系となるはずだ。

年齢が高くなる程、音程は下がる。若い人は総体的に音程が高い。これらの自己変化に気付きながら、常に自己の体内の腹部、胸部、頭部に音を響かせ、発声練習する必要を痛感するのである。

六百年以上の伝統を持つ能楽の教えに「美声に名手なし」という言葉がある。美声は自己陶酔に陥る危険性を常に持ち、安易に聴き手を酔わせる武器となる。このことが、とかく努力と鍛錬を忘れ、その人が持つ声が人を説得させるだけの境地に到達させないのだ。

次に呼吸について補足する。

聞くところによると、海に潜って働く海女さんたちは健康で長寿な人が多いと言う。これは呼吸法と深い関係があるようだ。海に潜る時、海女さんたちは鼻から深く息を吸って、ゆっくりとその息を吐き出しながら作業をする。五、六メートル潜って漁をする動作を、一時間に五、六回繰り返すと言う。

この方法は朗読の呼吸にも適用される。つまり鼻から深く吸った空気を、声の強弱と連動させながら無駄なく使い切る。そうして文章の長さ、短さを計りながら、一つの到達点に着地するのである。

これは野球の動作とも共通している。特に投手の場合、深く呼吸をしながら振りかぶり、球を投げる。そして投げた瞬間、息を吐くはずである。その短い時間の中で、彼等は球の種類を判断するのである。

朗読も同じである。文章の先にストライクゾーンがあるとすれば、その目標に向かって読み進めるはずだ。文体によってはカーブ、フォークといった技術も要求されるはずである。いずれにしろ、その文章に書かれた内容に相応（ふさわ）しいストライクゾーンに着地させなければならない。

要するに読み手の呼吸の正確なコントロールによって、迷うことなく聴き手を物語の全容に誘うことが出来るのである。

「母音と子母」の再考

ここで母音と子音の再点検という形で追加したい。

日本語は「アイウエオ」が母音の基礎音となっているが、もう一つ付け加えるならば、五〇音の最後にくる「ン」も母音である。他の言葉はすべて「子音」に始まり、「母音」は常にその陰に隠れているのだ。

日本の古典芸能、特に唄い物（長唄、端唄、小唄）、それに語り物の浄瑠璃（義太夫）、常磐津、清元、謡曲などを聴くと、母音の使い方が極端に強調されている。これは日本語の表現の上で、いかに母音が重要視されてきたかを物語っている。

これが明治以降の言文一致体から、外来語による翻訳語の氾濫（はんらん）などもあり、母音強調の語り口は、子音強調へと変化するのである。だからと言って陰に隠れた母音を意識しない日本語は、表層的で立体感のない、薄っぺらなものになってしまう。

ここで現代文を読む上で、母音を意識した実例を上げてみることにする。〇印は母音を示すために使用する。

例えば、

「しかし」の陰に隠れた母音を示すならば「し㋑か㋐し㋑」となる。

「そして」＝「そ㋔し㋑て㋓」

「たとえば」＝「た㋐と㋔えば㋐」

「わらう」＝「わ㋐ら㋐う」

「なく」＝「な㋐く㋒」

「おこる」＝おこ㋔る㋒」

このように、「アイウエオ」「ン」の母音以外は、すべて「子音」に続く形で常に母音が隠れているのである。

どうしても上手に読めない、言葉がはっきりしないという時は、まず裏に隠れている母音だけを読み、それに慣れたら子音を交えた文章を読むことである。これらの訓練によって、日本語が立体的で、堅固にして明確な音声となって伝わるのである。

第二章　朗読実技

詩を読む

〝詩〟――この精神はあらゆる表現物の底流に存在する、凝縮された魂の一滴である。文字表現に限らず音楽、美術、演劇（舞踊などを含め）、映画など、すべて〝詩〟の精神なくしては、良質な作品を生み出すことはできない。

　この節は〝詩を読む〟と題しているのだから当然詩を論じなければならないが、直接に詩と比較されるものは、散文であろう。

「散文は伝達を目的とする日常言語を中心とするものであり、詩の言語は何かを創造的に喚起する表現である」と言う。このような一応の定義があるが、ではどこからが散文で、どこからが詩文なのか、その区分は明確ではない。

　これ以上詩と散文の迷路に入ることは他にゆずるとして、まず〝詩〟の歩んできた道を手短に記そう。

　詩の発生は文字文化より早く、言語の誕生とともに在ったと言われている。とすれば人類発祥の源流にさかのぼることになるが……。卑近な例として、日本の基層文化を濃厚に残すアイヌ文化や、またモンゴロイド系の末裔と言われるアメリカ・インディアンは文字のない伝統文化を持っている。

その中に口伝としての口誦詩（口承詩とも）がある。それらは天と地の宇宙的自然現象を取り込んだ、動植物への感謝、祈り、願い、呪術性などを総括する「言霊（ことだま）」と呼ばれる歌である。つまり目に見えないものに向かって、声と言葉と動作による訴えは〝詩〟の根源的な精神につらなる。

そして日本では文字文化の発生、発達と並行して和歌、俳句、漢詩が詩の形式として長い伝統を確立していく。やがて一九世紀に入った西欧では、ポエジー（仏語）、ポエトリー（英語）なる定義の基に、ボードレールを代表とする象徴主義が台頭、その文化が脱亜入欧を推し進めようとする日本に輸入されてくるのである。

そこで生まれてくるのが、日本的な七五調の形式を踏まえた新体詩であり、島崎藤村や上田敏を中心とする浪漫主義運動の詩作品群である。さらに近代口語詩の代表的詩人、萩原朔太郎の誕生となるのである。

相当乱暴粗雑な筋道の紹介であるが、やがて現代詩という複雑多岐にわたる詩形式が生まれ、それらの状況が今も続いていると言っていいだろう。

解説はこの辺で切り上げて、その朗読に入る。今述べた口誦詩、ここでは言うまでもなく翻訳された詩を使用する。とすると、本来のインディアンの言葉の響きを再現することは不可能であるが、口誦詩に込められた彼らの精神を伝えることはできるはずだ。詩の朗読の冒頭にインディアンの口誦詩を置く最大の理由は、すでに述べたことだが、〝目に見えない物〟に想いを馳せる……つまり洋の東西を問わず、あらゆる詩の根底に横たわる創造的喚起を誘発する重要な表現空間であるからだ。なお、文章の上部に付した「├─┤」は、呼吸の区切りを示す。

■アメリカ・インディアンの詩

『おれは歌だ　おれはここを歩く』（金関寿夫訳　福音館書店刊）より

『青い夜がおりてくる』

├─┤
青い夜がおりてくる
青い夜がおりてくる

ほら、ここに
ほら、あそこに
トウモロコシの
ふさが震えている

『子守唄』

おまえはどこから落っこちたの
おまえはほんとに落っこちたの
おまえはどこから落っこちたの
おまえはほんとに落っこちたの

おまえはほんとに　ほんとに　ほんとに
落っこちたの　どこから

おまえは落っこちたの

—
木苺（きいちご）の茂（しげ）みの崖（がけ）から　おまえはほんとに
落っこちたのかい

●青い夜がおりてくる

この詩は訳者、金関氏の解説によれば、降雨量の多い日本とは違う、来る日も来る日も雨の降らないアメリカ大陸、そこに暮らすインディアンの人たちの雨への願いと感謝を捧げる歌なのである。主食のトウモロコシの発育は、彼らの死活問題でもあり、だからこそ語り継がれてきた歌なのだ。

〝青い夜〟つまり雨を呼びそうな夜の天候を、短い言葉で一口に歌いかけ、その暗闇の中に降り始めたであろう雨の滴に、トウモロコシのふさが、込み上げる歓喜で打ち震える情景を、なんの飾りもなく率直に表現している。この詩は平成一二年七月、筆者が主宰する前橋朗読研究会で、当時小学四年生の女子に読んでもらった。

その時少女に「やっと雨の夜が来た。眼を開いてよく見れば、ここにも、あそこにもトウモロコシのふさが震え、インディアンの人も、トウモロコシも嬉しくて仕方がないんだ」そんなことを思いながら読んでみることを勧めたのである。彼女は練習するうちに詩を暗記してしまい、この歌が持つ直截（ちょくせつ）的な素直な歓びと祈りを表現してくれた。

子供ならではの夾雑物のない強さであろうか。

詩も散文も同じであるが、読み手がどれほど豊かなイメージを描けるか、その描いたイメージを読み進める中で広げたり、狭くしたり、遠くしたり、近くしたり、この操作なくしては朗読を第三者に伝え、感じさせ、想像力を喚起させることはできないのだ。もちろんそこには読み手の基本的な技量なくしては不可能なことだが。

しかし、翻訳されたインディアンの詩を一年間稽古し、発表してみた結論はやはり彼らの魂に近づけないもどかしさだ。持って回った難解さもなく、やさしい言葉によって詠われるインディアンの歌は、なんとか意味らしい意味を伝えることができても、その奥に潜む深い、目に見えない霊的な世界を表出することは至難である。文明と称する便利さにどっぷり浸かった現代人には、体と声による「言霊」と祈りの発露は、もはや遠い詩情となってしまったのだろうか……。

読む上での呼吸法については次の項に併せて記す。

●子守唄

訳者、金関氏の「あとがき」などの解説にも、この「子守唄」についての説明はない。だが演出する者にとっても、朗読する者にとっても、あるイメージと解釈を持たなければ、読み進めることは無理である。

「おまえはどこから落っこちたの」の繰り返しがあり、最後に「木苺の茂みの崖から、おまえはほんとに、落っこちたのかい」のくだりがある。「おまえ」とは生まれたばかりの赤ん坊なのか、それとも木苺なのか、その解釈に迷うところだが、ある日、稽古を重ねる少女の口からこんな言葉が洩れた。「この詩は、赤ちゃんはどこから生まれてきたの？　という意味なの……」

私は少女の真にストレートな解釈に眼を覚まされたのである。確かに木苺の誕生を詠っている口誦詩でもあるのだが、それだけではないのだ。子供が母親の体内から生まれ出ることは、まぎれもない事実であるが、しかしこの口誦詩は、人間の誕生に対する神秘性と、生と死の不思議な循環作用を、単純明快に詠っているのだ。ここでも目に見えないものへの想いが伝わってくる。

では、この「子守唄」を読む上での留意点はどこなのだろうか。

全篇に「おまえ」、それに「どこから落っこちた」と「ほんとに落っこちたの」の言葉があふれ、ただ一ヶ所「木苺の茂み」のくだりだけが、その流れの方向を変えている。

そこでキーポイントになる語句を捜してみると、「どこから」と「ほんとに」の使い分けに在るのではないだろうかと考えた。つまり二つの言葉に遠近感と思いの深さを込め、読み手の感情に自然に寄り添わせる形で音声化する方法をとった。

ところでこの形の詩でとかくやってしまいがちな呼吸法は、読み手の勝手と都合で息継ぎをしてしまうことだ。このことはこれから書き進めていく詩や小説にも共通したことなので随時指摘していきた。

先に記した二つの詩に「I」マークを記したのは、私の演出意図による呼吸法である。一区画が一呼吸、『青い夜……』は二呼吸で読む。『子守唄』は三つの呼吸を使って読むという意味である。

では次に息継ぎである。朗読は読み手一人が持つ息の深度にもよるが、それらの息を無駄なく声に集中させて使う。時には一度した呼吸をぎりぎりまで使い切ってしまう。ある時は存分に吸い込んだ息を、ゆったりと余すほどに使う。などなど読む作品の内容と文体によって使い分けなければならないのである。

『子守唄』は最初の四行を私は一呼吸で読むことを要求した。見ればわかる通り四つの行改えがあるので、その作者の意図（この場合は翻訳者の意図であるかも知れないが）を十分に汲み取り、生かさなければならない。多分、この冒頭の四行をそれなりに読めば、一呼吸はほぼ使い切るはずだ。そこで深く次なる呼吸をして、高い坂から途中一瞬立ち止まるようにして下り、二行を読む。

さて最後の三行である。終句の「落っこちたのかい」で息が軟着陸するつもりで、その分量も自分なりに測って息を継ぎ、読み終わってもらいたい。

また、読む速度であるが、それはあくまでも内容に合体する必要があり、『子守唄』

を同じ速度でどんどん読んでは、先ほど述べた人間の誕生に対する神秘性、生と死の不思議な循環作用を感じさせることはできないだろう。その上で自然の摂理への畏怖と歓びが表現できるならば、完璧と言えるのではないか……。

■八木幹夫詩集『野菜畑のソクラテス』（第一三回現代詩花椿賞、第四六回芸術選奨文部大臣新人賞受賞　ふらんす堂刊）より

この詩集は、立正大学の「朗読法」講座の前期教材として使った現代詩である。その出会いは前年、前橋朗読研究会で取り上げ発表会を行ったことにある。発表のための稽古は、約一年間であったが、その結果、「朗読法」の教材として、最もふさわしい作品群であると判断したのである。

詩人、八木幹夫氏の言を借りれば、小さな菜園で野菜の栽培をした体験に基づいて創作された詩だそうだ。つまり身近にあれこれ格闘し、挫折を味わい、触れ合い、食した野菜への心情を、ギリシャの哲人、ソクラテスというなんとも意表を衝く結び付きによって完成されている詩なのである。そこはかとない歴史の悠久、現代生活とその日常を含めたギャップによって招き起こされるユーモア、この明るさはとかく気後れしがちな現代若者たちの声の表現を、自然に引っ張り出していけると思ったのである。予測に違わ

ず学生たちを詩の朗読に、気軽に入り込ませることができたのである。
では引用しよう。

『葱』

――
葱はもう永いこと
脇役を演じて久しい

――
朝の納豆
夜の湯豆腐
蕎麦の薬味
焼き鳥の肉と肉のあいだ

――
葱一本で独立するべきときが来ているんだ
ねえ　そうだろう

ねぎらいの言葉もきかず
葱はだまって
まっすぐに背筋をのばしたままだ
（土の奥深く白く長い根を隠して）

『きのこ』

種なんて蒔いたおぼえはないけれど
どこからやってきたのだろう
こいつはたしかにアミガサダケだ
フランス料理の高級スープ
ちょっと見た目は不気味だけれど
油で炒めてしこしこ歯ごたえ

——不安な顔の子供と女房
——「食べられる？」
「食べちゃった」
——あしたの朝までお父さんが
なんともなかったら
——食べましょうね

●葱

まず冒頭の一呼吸で読む二行である。この作品の表現すべき枠を、客観的に明確に述べている部分は、「脇役」という言葉ではないか……。

はるか昔から食されてきた葱の歴史に想いを託し、作者の眼前に在る葱は、どこから見ても〝脇役〟であり、この役所（やくどころ）はまだまだ続くと解釈。つまり現実の葱に宿る過去、現在、未来、その遠近法のイメージを自然な形で声の表現としたいのだ。

次の四行を読むための呼吸を整え、葱が置かれた脇役の状況を日常の時間を意識しながら、最後の脇役らしい脇役の姿、「焼き鳥の肉と肉のあいだ」のユーモラスな表現に辿り着きたい。この四行を読む速度と音の高低は、大事な鍵となるので、自分の耳で何度も確認をとってもらいたい。

次の二行である。「葱一本で……」から「ねえ、そうだろう」、ここは葱の一人称としての、大袈裟に言えば一行目は革命的な宣言であり、二行目はちょっと不安を覚えながら、同意を求める葱の言葉だと思って間違いあるまい。ここにはあるキャラクターを持った葱をイメージする必要がありそうだ。

次の三行である。前の二行で自己主張した葱を眺めた第三者の「それはむりだろう……」「無茶だろう」「気を落ち着けて」という思いを込めて読んで欲しい。でも葱は凜として背筋を伸ばして立っているというわけだ。

そして最後の息継ぎを深く、でも声を開放的に使わず、抑制しながら憐憫の情をたたえ、言葉を区切ることなく静かに読み終えてもらいたい。

●きのこ

作者、すなわち野菜栽培と格闘する主人公が、日常で垣間見た自分と家族のずれをユーモラスに描いた詩である。まず出だしの二行を一呼吸で読む。読み手、つまり作者は野菜畑にやってきて、意識して作ったものではない、奇妙な茸を発見し、身をこごめるように眺めているのかも知れない。「どこからやってきたのだろう」の下に疑問符があっても良い状況だろう。朗読は常に描写されている文章から登場する物や人間の体の動きをイメージし、場の情景を思い描かなければならない。

次の四行である。ここは採った〝きのこ〟を家に持ち帰り、自分の料理の腕で高級フランス料理を作ってやると、家族に自慢する風景だ。つまり出だしの二行が外の野菜畑、次の詩の展開は、終わりまで室内という空間の違いがあるのだ。畑ではあくまでも自問自答、家に帰ってからは、主人公の傍らには常に妻と子供が介在しているのである。この設定と空間の広さ狭さ、そして人物との距離感を読み手は忘れてはならないのである。

これらのイメージが適確であればあるほど、朗読の音の高低、速度などが自ずと決定されてくるのである。

次に主人公が家族に自慢する視点は、あくまでも主人公から見た家族である。しかし、息継ぎをした三つ目のブロックは、主人公の視点ではなく、妻と子供から主人公を見る視点に変わらなければならない。それも妻と子がお互いを確認し合いながら、疑惑の眼差しを投げかけていると思って良い。

それも「食べられる?」「食べちゃった」のやりとりの間には、妻と子が逡巡しながら、夫が食べてしまった動作を目撃する視線と動きがなければならないのだ。これを妻と子の二人にするのか、妻だけ、あるいは子だけの一人称的なセリフにするかは、読み手の解釈にゆだねられるが、私は朗読上、妻と子のやりとりにする方がより効果的であると考える。

では、最後の三行である。当然息継ぎをして、身近に子がおり、少し離れた所の調理場に夫がいるかも知れない情景を描き、ややひそひそ声で妻が喋る。そこに家族のほのぼのとした温かさ、あるいは夫だけが熱中している野菜作りへのちょっとした冷ややかな目線が、ユーモラスな笑いを醸し出す。これらがこの詩の読みに要求される必須条件である。

■新編・宮沢賢治詩集（中村稔編　角川文庫刊）より

次は一九三三（昭和八）年に、享年三七歳で夭折した天才的詩人・作家、宮沢賢治の詩を取り上げたい。まず賢治の詩（物語も同じだが）を朗読する上で、最も心せねばならないことは、あらゆる事象に感応しなければ、真に賢治の作品を読み伝えることはできないということである。

感応とは何か？　それは賢治の創作がすべて純粋過ぎるほど自らの心の軌跡に忠実であり、彼の五感が体全体で感じとった物を、ほとばしる言葉の語感に直結してつむぎ出していること。それをどこまで読み手が解釈するだけでなく、感じとることができるかなのである。
読んで読んで読み重ね、頭で理解するだけでなく、体の芯に響かせなければ、賢治の詩を伝えることはできないのである。そして賢治の詩には、インディアンの口誦詩に共通する精神があると思うのだが……。

『雲の信号』

ああいいな　せいせいするな
風が吹くし
農具はぴかぴか光っているし
山はぼんやり
岩頸(がんけい)だって岩鐘(がんしょう)だって
みんな時間のないころのゆめをみているのだ

そのとき雲の信号は
もう青白い春の
禁欲のそら高く掲(かか)げられていた

山はぼんやり
きっと四本杉には
今夜は雁(がん)もおりてくる

『馬』

いちにちいっぱいよもぎのなかにはたらいて
馬鈴薯(ばれいしょ)のようにくされかけた馬は
あかるくそそぐ夕陽の汁を
食塩の結晶したぱさぱさの頭に感じながら
はたけのへりの熊笹(くまざさ)を

ぼりぼりぼりぼり食っていた

それから青い晩が来て
ようやく厩（うまや）に帰った馬は
高圧線にかかったように
にわかにばたばた言いだした

馬は次の日冷たくなった

みんなは松の林の奥へ
巨（おお）きな穴をこしらえて
馬の四つの脚をまげ
そこへそろそろおろしてやった

がっくり垂れた頭の上へ
ぼろぼろ土を落としてやって
みんなぼろぼろ泣いていた

郵便はがき

恐れ入りますが切手をお貼りください

1010051

東京都千代田区
神田神保町一の三 冨山房ビル 七階

㈱冨山房インターナショナル
読者カード係 行

お名前	（　　　歳）男・女		
ご住所	〒 TEL：		
ご職業又は学年		メールアドレス	
ご購入書店名	都道府県　市郡区　書店	ご購入月	

★ご記入いただいた個人情報は、小社の出版情報やお問い合わせの連絡などの目的以外には使用いたしません。

★ご感想を小社の広告物、ホームページなどに掲載させていただけますでしょうか?

【 可 ・ 不可 ・ 匿名なら可 】

本書をお読みになったご感想をお書きください。
すべての方にお返事をさしあげることはかないませんが、
著者と小社編集部で大切に読ませていただきます。

●雪の信号

この詩の全体像は言うまでもなく、賢治が生き、生活した岩手県の当時の農村の空気が横溢（おういつ）している。しかし朗読する上で、漠然とした思い入れとイメージだけでは不十分である。幸いにして、資料や研究書は有り余るほど世に流布されている。それら生活記録やたくさんの人々の証言、そして写真などを含めた遺品は、賢治の人となりや社会状況を知る上で重要だ。朗読する上での肝要なイメージ作りの第一歩である。

人によってはそれぞれの呼吸法と読み区画をするかも知れないが、私はこの『雲の信号』の詩には五つの区画を作り、朗読する方法をとってみたい。

まず詩が持つ時間の流れを推理しよう。そこには秒単位、または分単位で時間が推移、途中「みんな時間のないころのゆめをみているのだ」の部分で思考上、現実の時間が一瞬止まり、遠く過去を思いやるのである。

しかし、再び現実の時間に戻り、雲が送ってくる信号に賢治独特の直感的想像力がよぎる。ここで秒単位、分単位の時間の流れが、緩やかに過ぎて夕闇に四本杉がぼんやり浮かび上がり、雁も舞い降りる夜の情景となって終わるのである。

こうして全体像を把握したなら、読み始めてみよう。

岩手県の山々を眺望できる広々とした農作地であろうか、作業の手を休め呼吸を深く、背伸びをするように辺りの景色を眺め「ああいいな、せいせいするな」と、溜めた呼吸を開放させる。そのとき風を体に感じ、ゆっくりと背伸びをした手が降り、「風が吹くし、農具はぴかぴか光っているし」と読み終わり、そして語り手は新しい呼吸をしながら、視線を遠景にそびえる山の姿や、岩々の姿に移す。

ここで大切なのは山や岩の距離感である。「ぼんやり……」という言葉にそれは表されている、「みんな時間のないころ……」に至るや、みるみる言葉の運びは、作者の内面に接近するのである。この遠く近くの二律背反の様相をどうやって語りで表現するか……、そして一転して内面から抜け出し、その場に立ちつくす作者の視線が雲を観察する。さらに観念世界の「禁欲のそら高く……」の言葉によって結ばれているのだ。

この六行を二呼吸で読む理由は、聴き手に作者の描写の流れ、思考の流れの飛翔を複雑に感じとらせたい意図によるからである。

では最後の三行に移ろう。ここの冒頭にも「山はぼんやり」が出てくる。しかし、ここは夜の「ぼんやり」である。まず読み手は夜と昼の違いを意識すると同時に、飛来する雁の姿をとらえ、その速度感を憶測して読み終わらなければならないだろう。

●馬

まず冒頭の六行である。私はこの長さを一つの息で読み切ってしまいたい。人によっては二行目「……のようにくさりかけた馬は」まで読んで息継ぎをする方法を使うかも知れない。ではなぜ私が六行一呼吸を主張するかというと。終りの「ぼりぼり食ってい た」に行き着く文章の軌道が、いくつかの情景描写があるものの、ただそこ一点に到達する運びで描かれているからだ。その途中の段階で勝手な息継ぎをすることで、作者の、そして聴き手の連続してゆくイメージを横道に逸らす力が働いてしまうと思うからだ。

出だしの「いちにちいっぱいよもぎのなかにはたらいて」は〝一日〟という時間経過と、「よもぎのなか」という場所説明である。それが終った二行目からは、刻々と変化する馬の動きと自然の変化を、読み手ははっきりとイメージして、声の表現としなければならない。だがここで注意しなければならないのは、やがて馬の迎える大いなる悲劇を聴き手に分らせないことである。わずかに不吉な予感、程度であろうか……。

六行が終って、次の四行である。

まず、時間は夕方から始まる。宮澤賢治独特な表現と言われる〝青い晩〟がやってくるのである。つまり音の転換の中に時間の推移を感じさせつつ、疲れた体をひきずるようにして厩に帰った馬の急変を告げる。当然、出だしを読む速度と、後半二行を読む速度に変化が起きるはずである。

次の一行「馬は次の日冷たくなった」、この部分は、ばたばた言い出した馬と、周囲にいる人々がどんな状態で一夜を過ごしたか、そして次の日が訪れたか……。そんな思いを込めながら、溜め込んだ息を楽に、ゆっくり吐き出すように読んでもらいたい。

そして息を継ぎ、続く四行を一呼吸で読む。この部分は馬を埋葬する動きを、なるべく客観的に、事実を明確に伝えることに専念してもらいたい。読み手がこの詩が持つ悲しみを、より深く聴き手に届けるためには、この辺の事実に嘆き節や、詠嘆性をなるべく排除しなければならないのだ。

最後の三行である。前の四行の感情的な抑制による事実の伝達があればこそ、「がっくり垂れた……ぼろぼろ泣いた」の終章に、愛馬への追悼が作者の想いと重なって読み手の表現となるはずである。

■**萩原朔太郎詩集**（西脇順三編　白鳳社刊）より

ここで、いままで読み進めてきた詩とは、趣を異にする作品の朗読について記述しよう。

日本が近代化という脱亜入欧を目標に掲げた明治期、欧米文化の影響を受け揺れ動きつつ輩出された作家群がいた。その中の代表的詩人が、現代の憂愁を詠った萩原朔太郎である。

一九一七（大正六）年、朔太郎三一歳、詩集『月に吠える』を発表。当時の文壇、詩壇に衝撃的な反響を呼んだのである。それは革命的な自由口語文体による詩であったからだ。

先に紹介した宮沢賢治が朔太郎より一〇歳若く、あくまでも岩手という土壌に根ざす、天地を飛翔する作品を書いたが、朔太郎は上州赤城山の麓、故郷前橋と、大都会東京に彷徨し、ひきさかれ、その愛憎のはざまをほとばしる詩魂で表現した詩人である。

では短い詩二篇を取り上げよう。

『孤独』

田舎の白っぽい道ばたで、
つかれた馬のこころが、
ひからびた日向(ひなた)の草をみつめている、
ななめに、しのしのとほそくもえる、
ふるへるさびしい草をみつめる。

田舎のさびしい日向に立って、
おまへはなにを視(み)ているのか、
ふるへる、わたしの孤独のたましひよ。

このほこりっぽい風景の顔に、
うすく涙がながれてゐる。

『旅上(りょじょう)』

ふらんすへ行きたしと思へども
ふらんすはあまりに遠し

せめては新しき背広をきて
きままなる旅にいでてみん。

汽車が山道(やまみち)をゆくとき

みづいろの窓によりかかりて
われひとりうれしきことをおもはむ
五月の朝のしののめ
うら若草のもえいづる心まかせに。

●孤独

この詩については、ひとつの驚きを持ったことがある。それは大学の講座で数一〇篇の朔太郎の詩を実技指導し、期末テストでそれぞれ気に入った詩一篇を朗読することを実施したときである。なんと半数近い学生たちがこの『孤独』を読んだのである。

あえて理由づけをするならば、世の中には物があふれ、日常生活の便利さは朔太郎の生きた時代からは比べるべくもない変化をとげている。これを進歩と解釈するか、発展と理解するかは別として、外観から見える快適さからは、内面の窺(うかが)い知れない漠(ばく)とした空虚さが、寂しい孤独感となって若者の心に充満しているのだろうか……。

それも生活実態の中では「田舎の白っぽい道ばた」も「つかれた馬」も、まったくと言っていいほど消え去っている時代なのである。だが詩人朔太郎の心情に若者たちは共感したと言うべきであろう。

では読んでみよう。

まず作者との一体感を体と心に感じるためには、自己の想像力、あるいは実体験から感じとれるだけの「場」の設定を固定化させる。それは詩に描かれた言葉から容易にイメージできるはずだ。「ひからびた日向の草」と書いているのだから、そろそろ秋の風情が忍び寄る田舎道（いなかみち）、あるいは朔太郎の故郷、上州の砂を巻き上げる空（から）っ風が吹き過ぎているのかも知れない。

それらの情景を冒頭の三行で、客観性と、馬の心情になぞらえた主観性を意識下において一呼吸で読む。それも孤独の深さに抵抗する働きを帯びながら、視線は次の二行に入って、草の細部に接近する。前の三行と、この二行との声の表現には微妙な音の高低差が欲しい。声の遠近法である。

息継ぎをして、次の三行を読む。息を溜め、草の細部に接近していた視線を、田舎の道ばたに立つ人物を辺りの風景とともに、自分自身の心に呼びかけるように語ってもらいたい。

そして最後の二行、吹き抜けるほこりっぽい風にまぎれる風景、それらに非常に主観的な空想と、薄い詠嘆の感慨を込め、にじむような音調を持って読み終りたい。

ここまで数篇の詩の朗読法を述べてきたが、詩の文体はそれぞれの作者によって異なり、言葉の構造、特に行改えには作者の思いと、呼吸、テンポ、リズムが具現されている。朗読上、私はその部分を読み手の勝手によって音声化することは、他人の作品を読む以上、ひとつの厳格な禁じ手としておく必要があると考えている。

その辺のことを再確認しながら、次の作品に移ろう。

●旅上

この詩を私は四つの区切りの呼吸で読んでみたい。人によっては、最初の四行を一気に読む方法をとるかも知れない。また次の「汽車が……」から「もえいづる心まかせに」までの五行を一呼吸で読みたいと思う人もいるだろう。私がこの『旅上』を四つの呼吸で読む理由は、詩が短い上に、言葉の流れが実にスムーズで、つい調子に乗り過ぎてしまう嫌いがあることから、あえて四つに区切り、その淡白さを避けたかったからである。

この『旅上』は朔太郎四〇歳、一九二五（大正一四）年、前橋で創設したマンドリン倶楽部の送別を受け、妻子を伴って上京する頃の作品である。ヨーロッパ文化への憧れ、しかし関東大震災後の閉塞感、やがてくる金融恐慌と昭和時代への突入など、詩人朔太郎の手をのばしてもなかなか届きにくい、想いと時代の様相を「新しき背広」「汽車のみづいろの窓」などの言葉に描き込んでいる。

これらの作者の心情に想像をめぐらせつつ、憧憬から諦め、諦めから「五月の朝のしののめ」（東雲（しののめ）＝明け方、暁（あかつき））、そして「うら若草の……」に至る慰めと開放感へと、詩の流れができていることを感じ、読んでもらいたい。

まず最初の二行は、フランスに対する憧れと思いのたけを読みながら「あまりに遠し」で、その挫折感を出す。そして思い直すように、自分の背中を押すように、主人公は身近にある「新しき背広」を羽織ると、旅に出る。行動を開始するのだ。つまり最初の二行は思案する静止状態、次の二行は動的でなければならない。

ここである時間経過と、表現の省略と場の移動を聴き手に想像させる〝間〟が必要である。それが次の三行を読む呼吸の〝間〟でもあるのだ。

「汽車が山道をゆくとき」つまり、背広を着たときから汽車に乗るまでの動きはここで止まり、作者の視点は列車の中に座って走り去る窓外を眺めているのだ。動くのは窓の景色であり、心情としては「うれしきこと……」と「もえいづる心まかせに」が移りゆく景色に重なっているのである。

以上をもって朗読実技「詩を読む」の具体例を終りたい。作品の選択には異論があろうかと思うが、著者の独断的意図は、初心者に読んでもらう姿勢で選んだ詩人であり、作品である。ご容赦願いたい。

小説を読む

取り上げる作品は本書の紙幅の問題もあり、物語の展開を手短に説明する必要もあるので、すべて短編の抜粋となることを承知していただきたい。あとは自分でその短編を熟読し、体の中に言葉を入れ、再び声として他人に伝え表現する術を体得してもらいたい。

採用する作品はいずれも、著者が関わる前橋朗読研究会で発表したものである。作家の没年は別にして、取り上げる作家は明治以降の近代を代表する小説家である。

なお、朗読しやすくするために、一呼吸で読む箇所に「◁」「▷」マークを記し、行改えをしている。

■芥川龍之介『蜜柑』

◁或(ある)曇った冬の日暮れである。私は横須賀発上り二等客車の隅(すみ)に腰を下して、ぼん

やり発車の笛を待っていた。▷

◁とうに電燈のついた客車の中には、珍しく私の外に一人も乗客はいなかった。▷

◁外を覗(のぞ)くと、うす暗いプラットフォオムにも、今日は珍しく見送りの人影さえ跡を絶って、唯(ただ)、檻(おり)に入れられた子犬が一匹、時々悲しそうに、吠え立てていた。▷

◁これらはその時の私の心もちと、不思議な位似つかわしい景色だった。

私の頭の中には言いようのない疲労と倦怠(けんたい)とが、まるで雪曇りの空のようなどんよりした影を落としていた。▷

◁私は外套(がいとう)のポケットへじっと両手をつっこんだまま、そこにはいっている夕刊を出して見ようという元気さえ起こらなかった。▷

〈解説〉

『蜜柑』冒頭の部分である。まずすべてが、当時は蒸気機関車であろう列車内の描写である。その辺の時代のことを知らない若い人にとっては、汽車がホームに停車をして乗客を待つ雰囲気はつかみにくいかも知れないが、今の新幹線などが停車する、どこかよそよそしい、そしてせかせかした状況とは違うことを意識下に置いてもらいたい。

そしてこの物語が主人公を男として、終始二等客車という場の設定から動くことのない、車内であることを読み手は忘れてはならないのである。

この『蜜柑』を発表したとき、芥川は二七歳という若さであったが、三五歳という年齢で自殺してしまう彼にとっては、その心境はごく一般的な年齢概念では測り知れないものがあるはずだ。であるとすれば、ここに登場する主人公は、朗読する上において、作者の実年齢より一〇歳近く上、三七、八歳から四〇歳を想定して間違いあるまい。

また主人公の心情、心理的設定は、全編に綴られている「退屈な人生」「言いようのない疲労と倦怠」という言葉で明記されている。

そして物語はそうした主人公の眼前にくりひろげられる、油気のない髭とひびだらけの両頬を持つ小娘との、刹那(せつな)の情景によって〝得体の知れない朗(ほがらか)な心もち〟に変貌するのだ。

これらの展開を脳裏に置かなければならないが、読み手は小説の解説者ではない。あくまでも描き進められる主人公の心のひだと反応、そして一つ一つの事象を、あるときは主人公の視点で、あるときは客観的に読み、聴き手を自然に終局へと誘わなければいけないのである。つまり説明、解説ではなく、逐一その場その場で生きた呼吸を感じさせなくてはならないのである。

〈朗読分析〉

抜粋した芥川の文章を音声化し、表現する上での細かい要点を抽出してみよう。

息を継ぐ目安として、「◁」を出だしの記号として、文章の区切りの「▷」を息の終りとしている。

まず「或曇った冬の日暮である」の部分、季節は冬、曇った日暮れ、これは舞台の書割(かきわり)のようなもので、幕が上がるとその一場が瞬時にして「冬、曇った日暮」と明確に聴き手が感じとれるように読むことである。

そして次の「私は……待っていた」までの読みは、客車の隅で身じろぎすることもなく、ぼんやりと発車の笛を待つ、この短編の主人公の気持ちに、素早く朗読者は身を寄せてもらいたい。そこには当然、書割的性格を帯びた季節と時間、次にくる主人公の置かれた状況と心境を読み分ける必要が生じるはずである。

次の「とうに電燈のついた……」から「乗客はいなかった」までのくだりは、主人公のほんのわずかな視線の動きが車内の様子を察知するのであるから、声の運びも前の文章からきた音程を変える必要はなく、ちらっと目線が動く程度の変化である。

ここで息継ぎをするのだが、いくつかの情景に対応できるだけの呼吸をしてもらいたい。「外を覗くと……」から「吠え立てていた」までは一呼吸で読む。そして、プラットフォオム全体の様子、檻に入れられた子犬の悲しそうな吠え声を、主人公の視覚と聴覚が的確に捉えていると思って読んでもらいたい。もちろん、車内を眺めていた狭い視線と、外を覗き観察する視線を、声の音程と読みの速度によって表現しなければならないが……。

ここまでは視覚、聴覚を主体とした文章運びとなっているが、「これらは……影を落としていた」に至る文章は、客車の片隅に一人座って、発車の笛を待つ主人公の内面描写、音声的に言えば「独白」的な心情を読まなければならないのである。

そして「私は外套の……」から「起らなかった」となるのだが、この部分は主人公の外見から観察できる外套、ポケット、夕刊という身近な事象を表現しながら「元気させ起らなかった」という心境に至る流れを読み伝えなければならない。

さて、この芥川の『蜜柑』という短編は、「疲労と倦怠感」を抱え込んだ主人公の物語である。初めのうちはなんともみすぼらしい、そして愚鈍そうで下品な小娘と思った女が、汽車が隧道（トンネル）になだれ込むや、無謀にも窓を開けてしまう。車内はたちまちどす黒い煙が漲る（みなぎる）のだが、小娘は頓着（とんちゃく）する気色も見せず、じっと汽車の進む方向を見ている。

そのまま隧道を抜けた汽車が、貧しい町はずれの踏切に差しかかったとき、その柵の向こうに、頬の赤い三人の男の子が、目白押しに遊んで立っている。一斉に手を挙げ、なんとも意味のわからない喊声（かんせい）を一生懸命に迸（ほとばし）らせる。

では、後半の抜粋をしてみよう。

◁するとその瞬間である。窓から半身を乗り出していた例の小娘が、あの霜焼けの手をつとのばして、勢いよく左右に振ったと思うと、忽ち心を躍らすばかり暖かな日の色に染まっている蜜柑が凡そ五つ六つ……▷◁汽車を見送った子供たちの上へばらばらと空から降って来た。▷

◁私は思わず息を呑んだ。そうして刹那に一切を了解した。▷

◁小娘は、恐らくはこれから奉公先へ赴こうとしている小娘は、その懐に蔵していた幾顆の蜜柑を窓から投げて、わざわざ踏切りまで見送りに来た弟たちの労に報いたのである。▷

〈朗読分析〉

「するとその瞬間……」から「蜜柑が凡そ五つ六つ」まで、私はこの「五つ六つ」の後に息継ぎで〝間〟を作っているが、これは原文にはなく、文章は「汽車を見送った」に続いているのである。

では何故「五つ六つ」で〝間〟を作り、息継ぎを入れたのかと言うと、車内から見た主人公の視点が、汽車を見送った子供たちに移った途端、子供たちの側からの視点に移動しているからだ。それは「空から降って来た」という言葉で結ばれているからである。

「降って行った」となれば、主人公側からの描写になるのだが、そうなっていないので、五つ六つの部分に〝間〟を作って、読み手、聴き手にその情景の変化を伝えたかったのである。

とにかく「するとその瞬間」から「刹那に一切を了解した」までの読みは、一応息継ぎを三カ所作っているが、蒸気機関車の速度と走り去る出来事のテンポ、たたみかけが、朗読的な意味で表現できるならば成功であろうと思っている。しかし、「五つ六つ……」の数の発声上の流れは、区切るようにややスローテンポで、映像的に言えばまるでスローモーションのように読めたらと考えている。

最終段落の「小娘は……」から「報いたのである」のくだりは、一呼吸で読むにはやや長い文章であるが、主人公の想像力が作り出した小娘への行末（いくすえ）に対する解釈であり、そのやさしい心情に、疲労と倦怠に明け暮れている自分への慚愧（ざんき）の思いを述べる部分であるから、読み始めから読み終わりまで、作者の文章呼吸の句読点を大切に守りながら、深く心の内面に届かせるつもりで読んでもらいたい。

■川端康成『掌（てのひら）の小説』（ちくま日本文学全集）より

『雨傘』

◁濡れはしないが、なんとはなしに肌の湿る、霧のような春雨だった。▷
◁表に駆け出した少女は、少年の傘を見てはじめて、「あら。雨なのね？」少年は雨のためよりも、少女の坐っている店先を通る恥かしさを隠すために、開いた雨傘だった。しかし、少年は黙って少女の体に傘をさしかけてやった。▷
◁少女は片一方の肩だけを傘に入れた。少年は濡れながら「おはいり」と、少女に身を寄せることが出来なかった。▷
◁少女は自分も片手を傘の柄に添えたいと思いながら、しかも傘のなかから逃げ出しそうにばかりしていた。▷

〈解説〉
先に例示した芥川の『蜜柑』は、一九一九（大正八）年、彼が二七歳のとき。そして奇しくも、この『雨傘』は川端がやはり二七歳の一九二六（昭和元）年に発表した出世作『招魂祭一景』に次ぐ珠玉の短篇である。両作品にあふれる瑞々しさは、いかにも新進気鋭の内に秘めた、躍動感ある筆致となっている。『雨傘』は少年と少女の束の間の触れ合いを、一本の雨傘を媒介として、けぶる雨の情景に、二人の行末の結ぶことのない縁の儚(はかな)さを暗示している物語である。

導入部は、降り始める春雨。二人が写真館へ入り別れの写真を撮る室内での描写、そして小雨の中へ駆け出す少女、二人は相合傘のひと時を過ごして帰る。こんな展開が、〝掌の小説〟と命名している通り、四〇〇字詰の原稿用紙にすれば三枚少々の中に、見事に無駄なく凝縮されているのである。

朗読の上では、思春期男女の思いと行動がどこかちぐはぐになり、そのもどかしさの痙攣(けいれん)を感じさせるものでなければならないのだ。


〈朗読分析〉


冒頭の「濡れはしないが……春雨だった」は一つの呼吸で読むのだが、音もなく霧のように降る春雨の情景は、その雨の落ちる速度を想像し、落ちたら雨が人の肌や、地面に吸い込まれて行く様相を音声によって描いてもらいたい。緩やかな、そして滲み入る朗読法と言ったらいいのか……。

次の「表に駆け出した」から「傘をさしかけた」に至る流れをどう読むかである。私はこの部分を一呼吸で読む指定をしているのだが、もし二呼吸にするならば中間の「しかし、少年は黙って」の個所であろう。どっちにしても、この文章の運び方を細かく見てみると、少女側の視点と、少年側の視点が短い文章の中で、行ったり来たりしていることがわかるはずだ。

　つまり読み手は、今朗読する部分はどっちから見た視点で読むべきかを明確に意識して進行させなければ、聴き手はただ文字の音声のみによって理解するにはするが、人物の動き、位置関係、内面の動きを感じとれなくなってしまう。要するに音声による立体的な造形は必要不可欠なのである。

「表に駆け出した少女」、この少女はそれまでどこにいたかと言うと、店先に坐っていたのである。このことは後に続く文章で明らかにされているのであるが、読み手は「坐っている少女が立ち上がり、駆け出す」、この動きを察知しなければならない。

　そして「あら。雨なのね？」は駆け出した少女が、少年の近くに寄ってのセリフであろう。ここで視点は少年に移る。店先の少女、駆け寄ってくる少女、それらに恥ずかしさを感じつつ傘を開く少年の内面と動きが、一体化した読みとなって欲しい。そして「しかし、少年は……さしかけてやった」は、客観性を持って少年の動きを描写してもらいたい。

　ここで私は「少女は片一方……出来なかった」までを一呼吸と指定したが、「少女は」の読み出しに入る前の息継ぎの中に、少女が少年の傘に入れない躊躇（ちゅうちょ）の動きを〝間〟として活用してもらいたいからである。

　そしてこの短い文章の中にも、少女を主体とする視点と、少年を主体とする視点があることを忘れないでもらいたい。

次の「少女は自分も……ばかりしていた」のくだりは、呼吸を継いだ後、少女に寄り添う読みと、「しかも傘の……」の部分から終りまで、主観性から客観性に移行する読み方となるはずである。

少々頭が混乱しそうな分析となってしまったが、読み手がどこまで文章の流れ、運びを細分化し解きほぐすかは、読んで読み砕き、その上で聴き手にそれらの作業の痕跡を消し去る形で聴かすための、重要な鍵となるからである。

では『雨傘』の終わりの段落を抜粋しよう。

◁少年は「傘を持とう」と言えなかった。少女は傘を少年に手渡すことが出来なかった。▷◁けれども写真館へ来る道とはちがって、二人は急に大人になり、夫婦のような気持で帰って行くのだった。▷
◁傘についてのただこれだけのことで……。▷

※原文の「傘を持とう」には「」はない。朗読上の手段として入れた。

この段落に入る前に写真を撮り終った二人は外に出るのだが、少女が少年の傘を持って出てしまう。その行動は無意識的な咄嗟（とっさ）のもので、少女は自分自身の行動に驚く。そして引き続き作者は、少女の内面を「彼女が彼のものだと感じていることを現したではないか」と、推測をまじえた一文で描写している。その次にくるのが、『雨傘』のこの最終段落である。

私は三つの呼吸の区分を指定した。それらの意味は、少年と少女の視点が連続している部分と、作者の意志的、願望的な部分、つまり客観性を帯びた描写の違いを表現してもらいたいからである。

次に「けれども写真館へ」から「帰って行ったのだった」までは、作者の客観描写、プラス願望が込められた部分だが、ここで私は深く呼吸を継いで最後の一文「傘についてのただこれだけのことで……」を読んでもらいたいのである。

その狙いは強い客観性により、物語の全体図が再び聴き手の脳裏に呼び覚まされる効果を出したいからである。それにはたっぷり呼吸を余しながら読み終ってもらいたいのである。

では次の作品に移ろう。

■宮沢賢治作　『よだかの星』

◁よだかは、実にみにくい鳥です。顔は、ところどころ、味噌をつけたようにまだらで、くちばしは、ひらたくて、耳までさけています。足は、まるでよぼよぼで、一間（いっけん）とも歩けません。▷

◁ほかの鳥は、もう、よだかの顔を見ただけでも、いやになってしまうという工合でした。▷

◁たとえば、ひばりも、あまり美しい鳥ではありませんが、よだかよりは、ずっと上だと思っていましたので、夕方など、よだかにあうと、さもさもいやそうに、しんねりと目をつぶりながら、首をそっぽへ向けるのでした。▷◁もっとちいさなおしゃべりの鳥などは、いつでもよだかのまっこうから悪口をしました。「へん。また出て来たね。まあ、あのざまをごらん。ほんとうに、鳥の仲間のつらよごしだよ。」▷

〈解説〉

作者、宮沢賢治自身については「詩」の章で記述したので割愛するが、ある短い年月で、怒濤の如くほとばしる想念で書いた物語を貫いている精神は、賢治のこんこんと湧き出る詩魂である。

そして私が今更言うまでもなく、彼の作品は子供のためのみの童話と思って書いたものでなく、単なる空想の世界を物語化したものでもないのだ。題材、登場するものは自然界から宇宙全体に及ぶが、それはあくまでも彼のリアリズムなのである。賢治が暮らしの中で、深い思いを寄せた自然や動物を、彼は全身の感覚をフル活動させ、穴のあくほど見つめた鋭い観察力のリアリズムと解釈したい。

読み手はその姿勢と方向性を忘れず、薄っぺらな情緒や感傷、物語の展開のみに気を取られることなく読んでもらいたい。そして賢治の作品を音声化する上での特徴は、自然宇宙に存在するあらゆる物の擬人化がほどこされていることだろう。ここに音声表現のむずかしさがあり、面白さがあるのだ。

〈朗読分析〉

抜粋した一文は『よだかの星』の出だしの部分である。まずこの文の全体を見て感じることは、文章が「。」に至るまでは決して短くないが、言葉の単位が極端に短く、読点が入れられていることだろう。これを忠実に音声化するとなると、ブツブツ切られた音となって、全体の文章の意図が不明確になる危険性が出てくる。

これは私の想像に過ぎないかも知れないが、賢治が暮らした東北地方の日常言語は、雪国という気象条件もあり、ポツンポツンとやや重く短く言葉を発すると言う。とすれば、それらのことと、この口語文体の呼吸には関連性がありそうな気もするが……。

しかし賢治は方言では書かず、共通語で書いている。そこで賢治の文体の呼吸を殺さず、読む上での工夫が必要となる。それは彼が付けた句読点の呼吸を取り入れながら、その〝間〟の長さに、文章の流れと、描写されている状況に合わせた長短を組み入れる方法である。読んで読み込んでいけば、それは自ずと答えが出ることであろう。

ここで『よだかの星』の物語の概要を記述しておこう。〝みにくい鳥〟と差別されている「よだか」は、つくづく生きていることに絶望しながら、でも自分が生きて行くために犯す弱い者への仕打ちに強く自責する。この生存への矛盾に切り裂かれた「よだか」は、太陽と星に祈り、消滅の道を突き進み、ついに一点の「よだかの星」となって、燃え続けるのである。

では物語の後半部分を抜粋しよう。

◁夜だかは、どこまでも、まっすぐに空へのぼって行きました。もう山焼(やまや)けの火はたばこの吸殻(すいがら)ぐらいにしか見えません。よだかはのぼってのぼって行きました。▷

◁ 寒さにいきはむねに白く凍りました。空気がうすくなったために、はねをそれはそれはせわしくうごかさなければなりませんでした。▷

◁それだのに、ほしの大きさは、さっきと少しも変りません。つくいきはふいごのようです。▷◁寒さや霜(しも)がまるで剣(けん)のようによだかを刺しました。よだかははねが

すっかりしびれてしまいました。そしてなみだぐんだ目をあげてもう一ぺんそらを見ました。▷
◁そうです、これがよだかの最后(さいご)でした。▷

ここで前半と違って、文章の呼吸にある一定の長さの句読点が打たれていることに気付くはずである。それは作者賢治の「よだか」に対する思い入れが、まっすぐに空に向かって飛ぶ行動と重なり、筆致の呼吸が途切れることを嫌っているからではないだろうか。

〈朗読分析〉

私は「夜だかは……のぼって行きました」までを一呼吸と指定している。長さから行くと、息をそれなりの深さに溜めておく必要がありそうだ。

「夜だかは、どこまでも、まっすぐに……」の箇所であるが、作者は二つの読点を入れている。それを効果的に使うために、読点の部分を音の上昇する接点として活用したい。「よだか」の飛ぶ速度が加速し、一段、二段、三段と読む声を上げたいのだ。上がり切った後、高い前方ばかり見ていた「よだか」の視線がはるか陸地を眺める。情景は「たばこの吸殻」にしか見えない山焼けである。つまり映像的な解釈をすれば、大俯瞰の夜景に赤い山焼けの火が見えている。そんなイメージを浮かべながら音声表現をしてもらいたい。

そして一転、広い視点を閉じ、「よだか」自身の身体に密着して、自分の肉体的条件を確認するように「寒さに……せわしくうごかさなければなりませんでした」までを読んでもらいたいのだ。

次に「よだか」が再び遠くの星を見上げ、「それだのに……ふいごのようです」までを、変化する実情をある客観性を持って読み、さらに息継ぎをして、「寒さや霜が……もう一ぺんそらを見ました」の部分を「霜」「剣」「しびれて」「なみだぐんだ目」などの言葉を妙に突出する形ではなく、音声的意図を持って読むことを勧めたい。

そして大きく呼吸をして、「そうです。……最后でした」の部分をある完結的な意志を込めて読み、この物語の余韻のある着地点にしてもらいたいのである。

以上をもって「小説を読む」の朗読実技の章を終りたい。これらは何度も書いてきたが、「私説」と名付けようと思うくらい、朗読を演出する体験に基づいて記述したものである。それにしても音声による「読み方」を文章で理解してもらう困難さは、覚悟していたとは言え、大変感覚的抽象論になりがちである。

では最も便利な音声録音（最近はさまざまな読み手によるCDやビデオが市販されてい

る）を使えば事足りるのだろうか。確かに大きなヒントになると思うが、初心者として聴いた人がある実力を備えた読み手の発声や抑揚を真似してどうなるものでもない。いや、模倣から独自の世界を創る。この手法は日本の芸能の伝統的手法であるから、現代朗読法においても有効な手段として否定するものではないが……。

しかしその本人が持つ声の質、息の長短などの個性を失ってはならないのは言うまでもない。それに人間の肉体を通して発せられる音声表現は、そのときの諸条件が総合された一回限りのものである。であるから収録された記録の中から、あくまでも自己表現の参考として、読み手の深い技量と、言葉に込められた精神性を汲みとり吸収する姿勢が必要であろう。それには質の高さを見分ける鑑賞眼（耳）が要求されることは必然である。

作家の文章論と音読について――文章の「音楽的効果と視覚的効果」

作家はそれぞれに文章に対するこだわりあるいは美意識を持っている。ゆえに一言一句の選択に苦闘するのである。著名な作家の「文章論」にそれが記されている。代表的なものは一九三四（昭和九）年谷崎潤一郎、一九五〇（昭和二五）年川端康成、一九五九（昭和三四）年三島由紀夫、一九七五（昭和五〇）年中村真一郎などなどであろうか。

これに、第五九回芥川賞作家、丸谷才一がいる。丸谷も書いているが、谷崎の文章読本は、他の類書から見ても、格段に力のこもった傑作である。しかし谷崎の論旨にことごとく同意するわけではない、とも述べている。

それはともかくとして、私は私なりに「音読」という観点から谷崎潤一郎の『文章読本』（中央公論刊）を検討してみたい。

まず「文章とは何か」の章で、谷崎が述べている論旨を要約してみよう。

「されば明治になってから言葉の数が増えたことは非常なものでありまして、昔の人の思いも及ばないさまざまな名詞や形容詞が出来、また外国語を翻訳したいろいろな学術語や技術語が生まれ、なお今日も続々と新語が造られつつあります」

右のようなことで発生している弊害について、こうも書いている。

「実に口語体の大いなる欠点は、表現法の自由に釣られて長たらしくなり、放漫に陥り易いことでありまして、徒らに言葉を積み重ねるために却って意味が酌み取りにくくなりつつある。故に当今の急務は、この口語体の放漫を引き締め、出来るだけ単純化することにあるのでありますが、これは結局、古典文の精神に復れということに外ならないのであります。

文章のコツ、即ち人に「分からせる」ように書く秘訣は、言葉や文字で表現出来ることと出来ないことの限界を知り、その限界に止まることが第一でありまして、古の名文家と言われる人は皆その心得をもっていました」

以上が谷崎の「文章の在り方」を説いた一文であるが、これらを「朗読上」に活用しようとすると、どんな点が有用であろうか。

「徒に言葉を積み重ねる」「口語文の放漫」「古典文の精神に復れ」そして、文章のコツとして「分からせる」ように書く秘訣、それを谷崎は「言葉と文字の表現の限界を知り、その限界で止まる心得」が名文を作り出すと書いている。

これらの指摘は、朗読の表現に直接関与することではないが、朗読作品選択の際に、大いに役立つ鑑賞眼の一つと言うべきであろう。「名文」とは何か？　その名作名文を音声化すること、つまり「朗読」に適しているか適していないかの判断は大切である。

特に近頃の現代文で書かれた小説類の中には、音韻、音律的な日本語の美しさに無神経で、ただ説明描写のみが羅列している作品を見かける。これでは「音声化」の意味が喪失してしまうのである。

さらに谷崎は、文章の「音楽的効果と視覚効果」の重要を説いている。視覚効果については、「われわれは独特な形象文字を使っているのでありますから、読者の眼に訴える感覚を利用する」と述べ、続いて「我が国の如く形象文字と音標文字（仮名）とを混用する場合において殊に然りである」と書いている。

さて、「朗読法」においては素通りできない谷崎説、それは文章の「音楽的効果」である。彼は言う。

「現代の口語文に最も欠けているものは、眼よりも耳に訴える効果、即ち音調の美であります。今日の人は「読む」と言えば普通「黙読する」意味に解し、また実際に声に出して読む習慣がすたれてきましたので、自然文章の音楽的要素が閑却（かんきゃく）されるようになったのでありましょうが、これは文章道のために甚だ嘆かわしいことであります」

と書き、他の国、殊にフランスなどにおける詩や小説の「朗読法」の研究や実践について触れている。そして、

「朗読というもの、結局は音読しているのである。既に音読している以上は、何かしら抑揚頓挫やアクセントを付けて読みます。然るに朗読法というものが一般に研究されていませんから、その抑揚頓挫やアクセントの付け方は、各人各様、まちまちであります。それでは折角リズムに苦心して作った文章も、間違った節で読まれる恐れがあるので、私のような小説を職業とする者には、取り分け重大な問題であります」

と述べ、文章、文体というものが持つ、視覚性、音楽性の効果を無視することのでき

ない重要な要素として力説している。そして文章を書くときの心得をこう書いている。

「文章を綴る場合に、まずその文句を実際に声に出して暗誦し、それがすらすらと言えるかどうかを試してみることが必要であり、まして、もしすらすら言えないようなら、読者の頭に入りにくい悪文であると極めてしまっても、間違いはありません」

とも言い切っているのである。そして谷崎は「文章の要素」の章で、「調子について」という項を設け、文章の音楽的要素をもう一歩踏み込んだ形で言及している。

「昔から、文章は人格の現れであると言われておりますが、啻(ただ)に人格ばかりではない。実はその人の体質、生理状態、といったようなものまでが、自(おのずか)ら行文の間に流露するのでありまして、しかもそれらの現れるのが、調子であります。されば文章における調子は、その人の精神の流動であり、血管のリズムであるとも言えるのでありまして、分けても体質との関係は、よほど密接であるに違いない」

右の一文はあくまでも文章の書き手に対する分析であるが、これらの分析は「朗読者」側にとっても無視するどころか、追及検討、さらに音読を重ねる上で、感覚的にも感じ取らなければならない重要なものなのである。

私は長い間、ラジオ・映画・テレビという表現媒体で仕事をしてきたが、「言葉」「音声表現」に限らずとも、谷崎が言う〝表現の調子〟というものは、まさしくあらゆる表現者の人格、体質、生理、ひいては血管のリズム、精神の流動という、作品の核心に通底するものなのである。かのスウェーデンの世界的映画監督、イングマール・ベルイマンは「人生はリズムである。呼吸である。そしてあらゆる表現の基本は、リズムと呼吸である」と言っている。

つまり「朗読者」はその読むべき作品の、書き手が持つリズムと呼吸を読みとり、感じとり、体内に飲み込み、純粋な伝導者となって、聞き手の心に伝える役割を果たさなければならないのである。

〝朗読台本〟をつくる

さて、ここまでの朗読実技は、あくまでも演出的視点で記述してきたが、読み手の立場からは、練習の過程でその演出的視点を原本の文章に書き加えることで、朗読のための〝台本〟が出来上がる。この「朗読用台本」は非常に重要なので、ここで実技者、つまり読み手本人が原文の解釈と朗読上の注意を書き込んだ〝台本〟を参考に紹介する。

この台本の制作者は元群馬テレビのアナウンサーで、前橋朗読研究会「BREATH」の創立メンバーの一人でもある蛭間まゆみ氏である。彼女は過去数回にわたって『蜘蛛の糸』の朗読発表を行っているので、その〝台本〟は相当克明なものとなっている。朗

図I

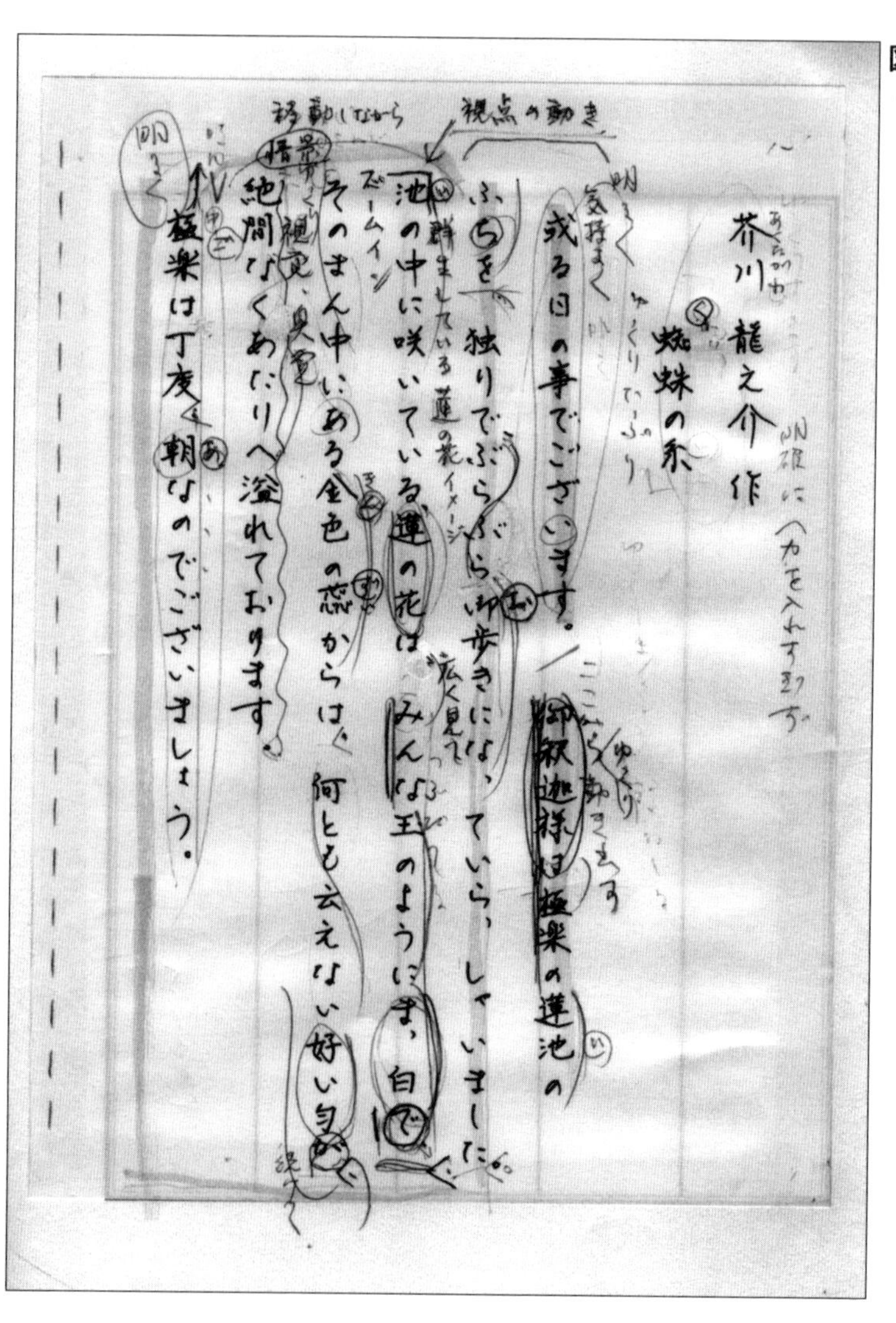

芥川龍之介　作

蜘蛛の糸

或る日の事でございます。御釈迦様は極楽の蓮池のふちを、独りでぶらぶら御歩きになっていらっしゃいました。池の中に咲いている蓮の花は、みんな玉のようにまっ白で、そのまん中にある金色の蕊からは、何とも云えない好い匂が、絶間なくあたりへ溢れております。極楽は丁度朝なのでございましょう。

読にあたっての注意すべき事柄が記号や言葉で書き込まれている。一部ご本人にしか分からない記述があるが、その解釈は読者にお任せする。一つの作品を朗読する裏では、これだけの多角的な考察がなされていることを知ってもらいたいのである。題材は芥川龍之介の『蜘蛛の糸』（新潮文庫）である。

図Ⅰは原文の冒頭部分を手書きした〝蛭間台本〟である。

書き込みは、原作者の名前、題名を音読する上での注意点から始まっている。そして、この物語がどういう状況や風景で始まり、描かれている登場人物が御釈迦様であること、更に物事がどう動いていくかを意識下に置いていることがわかる。随所に「ゆっくり」とか「広く見て」といったト書がある。何箇所か出てくる丸囲みの仮名文字は「母音を意識する」という記号である。

図Ⅱは、作品の中間地点にあたる地獄を描写した原文を考察したものである。

この物語は芥川独特の架空性に満ちた御釈迦様の住む世界と、はるか彼方の地獄の世界を描いた作品である。これを音読する場合、その架空性にどのように現実性を持たせるかが肝要である。

図Ⅱ

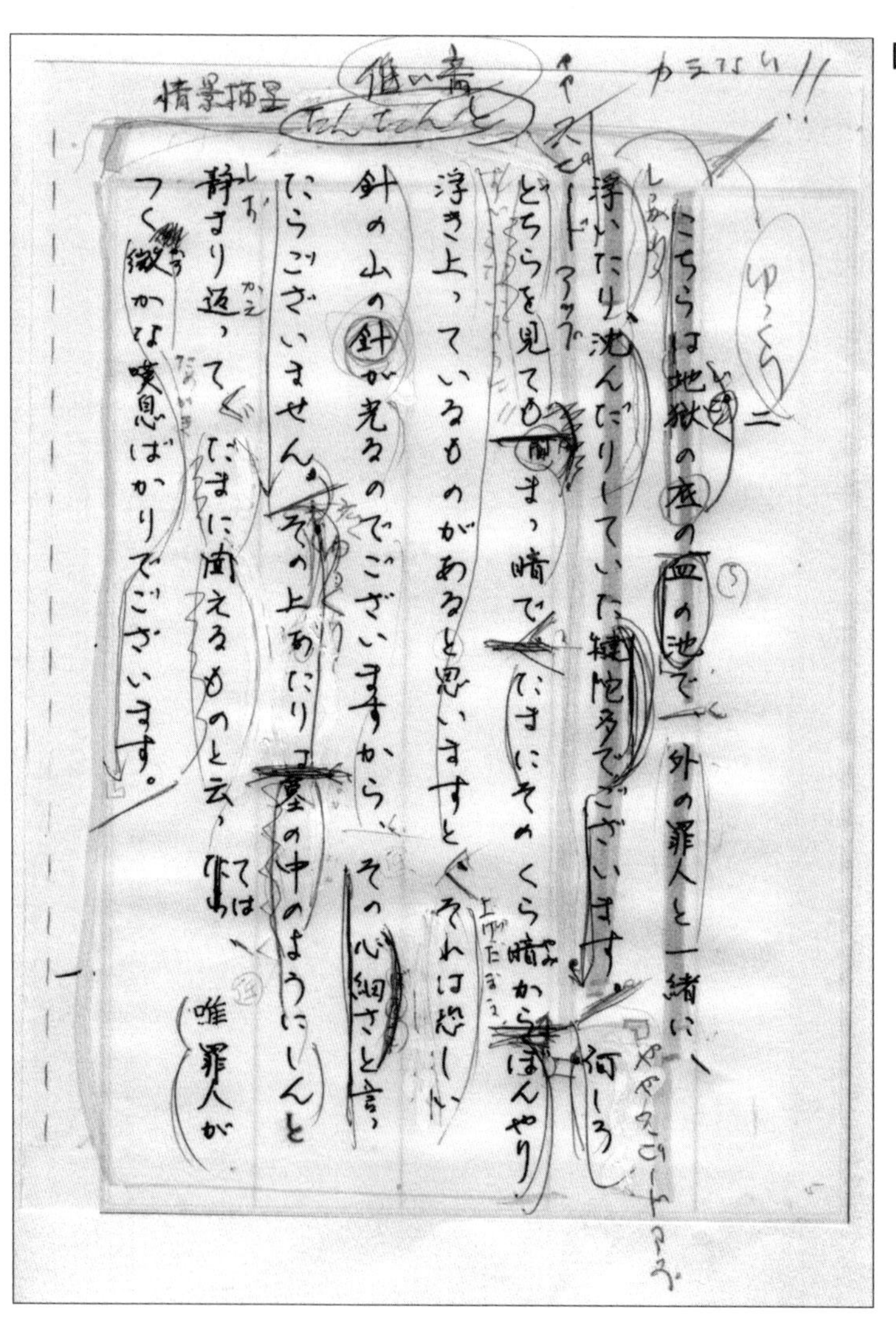
こちらは地獄の底の血の池で、外の罪人と一緒に、
浮いたり沈んだりしていた犍陀多でございます。何しろ
どちらを見ても、まっ暗で、たまにそのくら暗からぼんやり
浮き上っているものがあると思いますと、それは恐しい
針の山の針が光るのでございますから、その心細さと言っ
たらございません。その上あたり一面墓の中のようにしんと
静まり返って、たまに聞えるものと云っては、唯罪人が
つく微かな嘆息ばかりでございます。

まず地獄の底で蠢く罪人〝犍陀多〟なる人物が出てくる。彼は地獄に落ちる前に、一匹の蜘蛛を助けた。御釈迦様はそのことを憶えていて、地獄から救い出してやろうと考えた。

中間部分はそこから始まる。ここで読み手は、低音を中心とした読みを意識して、犍陀多の心の動きと、地獄の描写に気を配っている。

犍陀多は御釈迦様のお下しになった蜘蛛の糸を見つけると、これで自分は地獄から抜け出せるとばかり、一人よじ登っていくのだが、地獄の底の数限りない罪人たちは、その犍陀多の姿を見逃すわけがない。糸の途中で一息ついた犍陀多が下を見ると、数えきれない罪人たちが登ってくる。「こら、罪人ども、この蜘蛛の糸は己のものだぞ。お前たちは誰に尋いてのぼってきた。下りろ、下りろ！」と犍陀多はわめく。その途端、蜘蛛の糸はぷつんと切れ、すべては再び地獄へ落ちてしまうのである。

図Ⅲは物語の最後の段である。

物語は定石とも言える冒頭の部分に戻る。御釈迦様は、犍陀多の〝自分だけ助かればという浅はかな欲望を嘆き、再び蓮池の淵を散策し、短い時間の流れを感じ取る、といった結末になっている。

つまり御釈迦様の心境と、風景描写と、時間の経過をどう表現するかを、物語の終着

図Ⅲ

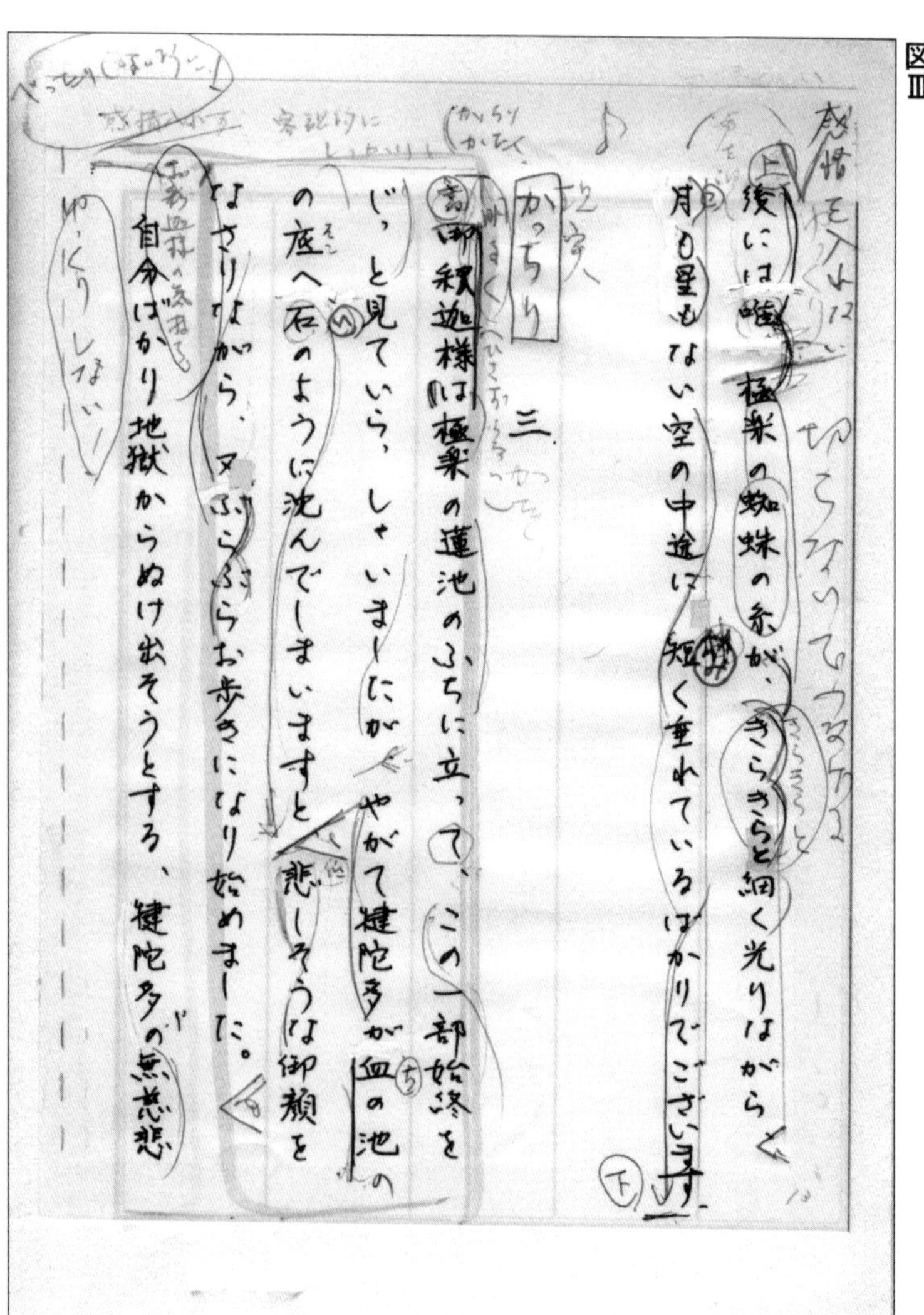

後には唯極楽の蜘蛛の糸が、きらきらと細く光りながら
月も星もない空の中途に短く垂れているばかりでございます。

三

御釈迦様は極楽の蓮池のふちに立って、この一部始終を
じっと見ていらっしゃいましたが、やがて犍陀多が血の池の
底へ石のように沈んでしまいますと、悲しそうな御顔を
なさりながら、又ぶらぶらお歩きになり始めました。
自分ばかり地獄からぬけ出そうとする、犍陀多の無慈悲

と余韻に託しているのである。

蛭間氏はこの朗読台本の裏ページに、「朗読で心がけること」を次のように書き記している。

①お腹から声を出し、ゆっくり、はっきり、落ち着いて、聞いている人がいること、伝えるということを意識して読む（語るように読む）。

②朗読はイメージ（想像）に始まり、イメージに終わる。まずは黙読で作品の世界をじっくり味わうこと。作品の情景を知ろうとするとイメージが膨らんで、景色、状況や登場人物の気持ちが実感できるようになる。すると朗読の声や表情は、変につくらなくても、自然に出てくる。五感で感じることが大切！

想像力を引き出す朗読

朗読会は、説明するまでもなく、修正のきかない一発勝負の生物である。企画から始まり、作品の選択、読み手の個性と進化の状況などを判断しながら、約一年の稽古、そして本番に辿り着く。これらの手順は必要不可欠なもので、生の朗読にはそれだけの慎重さが求められる。

だからと言って完璧ではない。生の音声表現に、なんの欠点もない完成度は存在しないと言っていいだろう。常に未完成であるからこそ、終わりなき挑戦があるのだ。終わりなき道があるからこそ、歩きつづける意味もあるのだ。

ここで我々の朗読会に、毎回足を運んでくださる方を紹介したい。元は映像関係などで仕事をされ、小栗康平監督の『眠る男』の脚本を共同担当された剣持潔氏である。剣持氏が山本周五郎の『青べか物語』を聴いてくださった折の感想文を、抜粋で恐縮だが、ここに掲載させていただく。

当会（前橋朗読研究会）の朗読公演は、映画・活字より面白い。どうしてなのだろう？　朗読という肉声があって、生の演奏と照明、舞台は贅沢だけれど簡素。映画や演劇は役者や背景を足し算するけれど、この会の演出は引き算である。ギリギリまで削ぎ落す。そして生み出す〝間〟や〝空白〟が聴き手の想像力を引き出してくれる。それらの魔法が、映画や演劇には押しつけがましいところがあり、小説でさえ活字が重過ぎるところがある。それがないのである。

もう一人ご紹介したい。多年にわたって朗読研究会の朗読を聴いていただいている、元群馬テレビ顧問で現在は群馬医療福祉大学客員教授の新井英司氏の感想である。

放送作家の遠藤敦司さんが企画・演出する朗読発表会を鑑賞させていただくと、いつも爽快な気分に満たされる。それは数冊の文学作品を読み終えた達成感にも似ている。朗読の世界に引き込まれ涙することもあれば、年甲斐もなく恋愛ものにドキドキ、ウキウキしたりもする。以前読んだことのある作品に出合うと新たな発見もあり、それはそれは楽しい朗読会である。

朗読の語り手から聞き手に投げられるボールには、原作に秘められた幾多の人生や感慨、それに原作を読み込んだ演出家や読み手のそれらも加わり、情報は満載。聞き手はそのボールをしっかりと受け止め、自分のこれまでの経験や想像力を駆使して朗読の世界を心に描いていく。といっても、朗読には舞台や映画のように視覚的な展開はない。それ故、聞き手側には朗読の世界に何よりも主体的、能動的に関わることが求められる。別の言い方をすれば、聞き手にとって朗読ほど日頃の生活の深め方、味わい方が試されるものはない。朗読の世界を自分の心に創造することは新たな人生の発見であり、同時に自分の人生を見返ることになる。

朗読は読み手がいれば一人でも出来る。しかし、遠藤さんの演出はもう一段上の高みを求める。語り手の表現者としての可能性を常に考えて、新たな境地を切り開くべく指導する。語り手が一人で取り組むと勢い、好みの世界、好みの原作者に偏ってしまう。ところが、遠藤さんの演出で語り手が「こんな作品にも挑戦できる」と自信がみなぎる。朗読の発表会を重ねるごとに取り上げるテーマも人物も変われば、語り手の表現力、作風もまた味わい深くなる。遠藤さんの朗読指導はあくまでも一人ひとりの向上であり、人間力のかん養。だから、毎回、楽しい朗読会が続いている。

少々褒められ過ぎのところもあるが、「朗読」という表現の独特な世界を的確にとらえている一文である。ご本人の承諾を得て掲載させて頂いた。

「朗読」とは基本的に〝一人語り〟であり、風景描写から人物描写、幅広い年齢層の会話、物語の顛末(てんまつ)を語らなければならない。これを原則とすると、陥りやすいのが自己満足、一人よがりの危険性である。

そこで、常に多角的な視点で客観性を持った批評とアドバイスを得られる環境を作っておくことが肝要である。その役割は、読み手とはまた違った洞察力が求められるのだ。それとても正解とは言えないのが、「声」の表現の難しいところである。

朗読の〝力〟

生の声による舞台朗読に取り組んで、はや三〇年を過ぎようとしている。その間、どれほど多くの人々と関わってきただろうか。その中心はアナウンサーとなるが、その広がりはいつしかアマチュアの老若男女に至る。

音声表現に興味を示すのは圧倒的に「女性」である。男性は一般的には味覚が鋭いと言われているが、どうやら聴覚、臭覚、触覚は女性の方が鋭いのではないだろうか。科学的な分析をしたわけではないが、「朗読」をやってみようという人は、何故か女性が多数を占めている。

著者は現在、地元の前橋市を根拠地として朗読指導及び発表会を行っているが、プロ的集団は女性五名、他に県内各地の三〇代から八〇代の女性アマチュアが参加している。約四五名近い集団になるが、男性は唯一、小中高大学の教員だった人物が一人いるだけである。男性は希有な存在である。

一時、小学生の男女を指導したことがあった。男子は小学生の兄弟であった。上手下手を言う前に、私はこの年齢の子どもはみな天才だと思う。つまり言葉に向かい合う姿勢が新鮮であり、発見であり、臆することなく言葉に立ち向かう姿が、天真爛漫なのである。

小学校五年の男の子に、中原中也の詩『汚れちまった悲しみ』を読ませようと、プロの発表会に参加させた。着物を着せ、下駄を履かせて読ませたところ、聴衆も大人の読み手もその堂々たる朗読に感銘を受けた。

やはり小学四年生の田中優花さんの例である。

ある日、彼女の母親から電話を受けた。医師か教師からのアドバイスだったのだろうか、吃音の娘に朗読を教えてほしい、という相談だった。

「朗読」で吃音を矯正できるかどうか、私に自信はなかったが取り組むことにした。月2回くらいの指導だった。読み始めるとすぐに吃音症状が起こる。その繰り返しの中でやっと一行か二行の文章が読める。次に進むが指導はなかなか捗(はかど)らない。そんなことを一年やっているうちに、プロの集団の発表が近づいてきた。私の頭に閃(ひらめ)いたのは、彼女を本番の舞台に出すことであった。

その年の公演は、深沢七郎作品の『楢山節考』で、企画の一つとしてアマチュアのグループ全員を二つに分けて群読させることであった。長い小説なのでプロ集団五名は、物語の全体を五つに区分けして割当てた。伴奏音楽はギタリストの黄敬氏であった。

彼女には、山奥の姥捨(うばすて)にまつわる物語に出てくる「祭り唄」を朗唱する場面を作った。2回の短い出番であったが、彼女は一言もとちらずに朗唱した。観客を前に、彼女は作中の祭り唄を朗唱する役を見事にやり遂げたのである。

この思い切った、本番の舞台に出すことによって、彼女は練習では出来なかったことが出来たのである。観客として来場していた両親も胸を撫で下ろして喜んでいた。ちまちまと二人だけで練習していることも無駄ではないが、腹をくくって荒療治する必要性を知ったとも言えそうだ。その後、彼女は地元の大学の教育学部を卒業し、現在は県内の高校で国語教師として活躍している。本書出版にあたり感想を寄せてくれたのでご紹介する。

私はもともと吃音の症状があります。高校の国語科教員となった今でも、緊張すると喉のあたりの筋肉が固く縮こまってしまうような感覚があり、言葉の始めの音を出すのに時間がかかります。小学校低学年の頃はその症状はほとんどありませんでした。小さい頃から物語を読むのが大好きで、国語の授業で行われる音読も好きでした。クラス全員の前で音読をする機会があれば、真っ先に手を挙げるような子どもだったのです。けれども、いつの頃からか、自分が読んでいる言葉を聞いている人を過剰に意識してしまうようになり、楽しかったはずの音読がつらいものになっていました。

言いたいことが自由に表現できない不自由さに苦しんでいた私ですが、本人以上に家族が心配していたのだと思います。遠藤先生が開いた朗読塾のことは、上毛新聞の記事を読んだ母が教えてくれました。「朗読ってなんだろう？」そんな気持ちで、ひんやりとした公民館の扉に初めて手をかけたことを、今でも覚えています。

先生との授業は一対一で、先生はいつも飴をくださいました。小熊秀雄の童話や萩原朔太郎の詩など、小学生として普通に生活していたら決して出会うことがなかった作品と次々に向き合うことになった私は、先生に指導していただける日曜日がいつも楽しみでした。目新しい作品に出会える喜びで、吃音のことも忘れられたような気がします。印象深かったのは「声をどこに置くか」という考え方です。頭の中で、声を上から降らせるのか、下から這わせるのか、イメージしながら発声するだけで、自分の声のトーンがまるっきり変わっていくのが面白くて、家でも何度も試しました。

授業が終わると、先生は私をお昼に誘ってくださいます。そこでの先生は、今手がけている本や今度の発表会の構想を次々に話してくださいました。日当たりのよい部屋の中で、楽しそうにお話される先生を前に、私は興味深く聞くばかりで、まるで三人目の祖父がいるみたいだな、とぼんやり考えたりしていました。

「『楢山節考』に出てみない？」とお話を頂いたのは、朗読塾に入ってからしばらくした時のことだと思います。作品を読んでみて、日頃祖父母と過ごす時間の多かった私は、現代との生活の違いに驚いてしまいました。昔話ではオブラートにくるまれて表現されている姥捨てのようすが、あまりに生々しく描かれていたので、とても悲しかったです。こんなに強い感情を作品に抱いたことはほとんどなく、「これを人前でどんなふうに読んだらいいのだろう？」と思うばかりでした。

練習ではやはり緊張しました。前橋朗読研究会「BREATH」の方々がこの公演に出演されるからです。気さくで華やかで、素敵な方ばかりでしたが、なによりすごいのは、彼女たちが舞台に立つと、その舞台が小さく思えるほどの迫力で朗読をされることでした。それまでは見るばかりだった公演に、立たせてもらっていることがありがたく、私のせいで何かあってはいけないと思いました。私が参加する部分は本当にわずかでしたが、それでも毎日「どんなふうに読んだら伝わるだろう」と考えて練習をしました。本番まではあっという間でした。出番が来て、舞台の裾から駆けるようにライトの下に立ち、言うべきことを言えた時、自分の声の小さな残響を聞きながら、思うような声が出たことに安堵したことは今でも思い出せます。白く見えるほど眩しい舞台の上で他の出演者の方々と一緒にお辞儀をしながら、うす暗い客席で目だけを輝かせながら力いっぱい拍手をしてくださるお客様を見たのは、後にも先にもこの時だけです。

大学生になって、ぐんま朗読塾の発表会や前橋朗読研究会「BREATH」の公演会スタッフとして朗読に関わることが何度もありました。その都度「あなたが『楢山節考』に出てた方?」「『楢山節考』の公演を見て、私も朗読を始めたのよ」と声をかけていただくことがあり、今思い出しても本当にありがたいことだと思います。あの舞台から覗かせてもらった景色が私にとって特別だったように、あの公演が誰かにとっても特別で、それがその方を朗読の世界へ誘ったのだとしたら、これほど嬉しいことはありません。

現在、私は三歳になる息子を育てています。彼は母親である私に絵本を読んでもらうのが好きで、私も声に出して読むことが好きなので、眠る前、彼と寝ころびながら絵本をめくることはお互いにとって特別な時間です。彼がもういいよと言うまで、いろんな物語を声で共有しながら読んであげたいと思う一方で、幼い時にぐんま朗読塾で様々な作品に出会えたことは、私の人生の財産だったとしみじみ思います。

小学生というまだ人生の手垢がついていない男女との交流は、私の予想をはるかに超える新鮮さと冒険の体験であった。これらの経験から言うと、「朗読」という肉体表現には、思わぬ喚起力が秘められているように感じている。「朗読」という肉体表現には、増加の一途をたどる子供のひきこもりや自殺といった精神的な現象への、効果的な作用が存在するのではないか、とも考えるのである。

次に、ベテランの読み手、蛭間まゆみ氏による経験談を紹介する。

およそ三〇年前、私は放送作家・遠藤敦司氏から声を掛けられた。

「朗読をやってみる気はありますか。せっかく入社以来アナウンサーの仕事をしてきたのに、三〇代前後頃になると、アナウンスの現場から外されてしまう。これが現実でしょ。あとはイベントの司会あるいは結婚式や葬儀の司会進行の仕事ということになる。だったら声の出る限り続けられる〈朗読〉という表現に取り組んでは？」

というお誘いの言葉だった。「朗読？」私は綺麗な声で文章を読めばいいと簡単に理解し、遠藤氏の申し出を即受け入れた。私と同時に、やはり群馬テレビの後輩の女性アナ、それにFMぐんまの女性アナにも声を掛け、三人は即決で遠藤氏の朗読活動に参加した。これが前橋朗読研究会「BREATH」の創設となった。

一九九三（平成五）年に第一回の発表会を開いた。この折に私が初めて取り組んだ作品が芥川龍之介の『蜘蛛の糸』だった。私の『蜘蛛の糸』との縁はこの時に始まった。以来今日に至るまで、折に触れこの作品を朗読する機会に恵まれ、今や私のライフワークとなっている。

朗読会の活動は、約一年にわたる稽古を経て年一回の定期公演である。小説、詩、民話、昔話など作品は多岐に渡り、翻訳物も3、4回は朗読した。私にとって印象深く、素直に気持ちを込めて朗読した作品は、アメリカ・インディアン（現在はネイティヴアメリカン）を扱った『リトルトリー』（和田穹男訳。インディアンの少年が世間の差別に遭遇しながら、祖父母から受け継がれてきたインディアンとしての生き方、世界観を学んでいく物語）だった。これは女性会員が六名になった頃で、長編の物語を六つに区分けして、リレー形式で、ギター演奏も加えての発表だった。

朗読を始めて六、七年経った頃、綺麗に読むだけでは駄目だと感じるようになった。第三者に聴かせ、心に響かせ、その場面がどのように浮かんでくるか、ということに深く疑問を抱くようになった。大きな壁にぶつかったのである。あらゆる事象を言葉と文章のみで聴き手に届けることの在り方、表現方法に疑問が湧いてきたのだ。そこで、「朗読」という表現方法を再点検する必要性に迫られ、一種のスランプに陥った。

その頃、遠藤氏からアマチュアの朗読愛好家のグループの指導助手をやらないかと言われ、遠藤氏と手分けして作品朗読の指導に関わる機会を得た。そのお陰で私は朗読の基本に立ち返ってあらゆる分析と呼吸・発声の再検証をすることにし、同時に、たまたま友人がヨガ教室を開き、そこにも参加して呼吸法と力の入れ方・抜き方、体力に合った発声の方法を学ぶことが出来た。これらの結果として、私は現在までの自分の朗読表現の「戒め」を作ることが出来た。

◎作品に隠れている五感（視覚、臭覚、味覚、触覚、聴覚）を探り当てること
◎文章と文体を感じ取り、感じ取る前に頭の解釈だけで演じないこと
◎腹の丹田（たんでん）に意識と力を集中し、喉は勿論身体の他の部分の力を抜くこと
◎現在自分が出せる限界を知り、その中で声量つまり音の音域と高低を使うこと

この「戒め」が現在私が朗読する上で欠かすことの出来ない要点となっている。

これに付け加えるならば、

朗読は上手くいかないことが当たり前、だからこそ次に進む意欲が湧いてくるの

である。私が朗読に〝魅了される原因〟と〝やめようとは思わない理由〟はここにある。

現在私が挑戦していることは、朗読台本を見ながらの朗読をやめて、原本そのものを見て朗読することである。どこまで私自身が自然体で朗読できるか、これまでやってきたチェック、分析が身体に染み込んでいるか、が朗読表現に現れることになる。

以上、二人の女性の回想的な文章を紹介した。そのスタートの違い、年齢、経験の差は言うまでもないが、それぞれに違った視点で語られていることは、あらためて演出・指導する私に新鮮なヒントと教訓を与えてくれている。

人は育つ環境、成長する上での人との出会い、別れ、体験など、それぞれに違うものである。だから、読み手の個性は年齢を重ねることによって滲み出てくる……、それが聴き手を納得させる〝朗読力〟となるはずである。

朗読は聴き手との交流

すでに述べた通り、女性のみの前橋朗読研究会「BREATH」は地元のアナウンサーを中心として設立した会である。彼女たちは「声」と「言葉」を駆使する職業であるが、放送現場を退くと、そのほとんどがイベントの司会、結婚式、葬式などの司会に使われることが多い。

それは退職後の収入の在り方かも知れないが、これらの仕事には自己表現、自己啓発や自己に隠れている他者などを表現することは要求されないのが普通である。そこには文学作品を音声化することで得られる嬉びや、豊かな人間性を表出する体感は受容できないと言っていいだろう。

アナウンサーは、あくまでもマイクに向かって、目に見えない不特定多数の人々に語りかけ、テレビであるならば、画面の映像をより浮き出させるための役割が重要となる。しかし、マイクを使わず、生の声で表現する「朗読」となると、その場にいる聴き手との無言の対話が必然的に生まれてくる。つまり、その瞬間瞬間に起る、聴き手との交流が発生するのである。これなくして舞台朗読は成立しないのだ。

音楽とのコラボ、異言語との交流

前橋朗読研究会「BREATH」は、発足して五年程は生の声のみの朗読会を開いてきた。私の計画の中には、読み手にある力量が備わってきたら、音楽との共演を実行したいと思っていた。朗読という音声表現には、音楽との共通性が多分にあるからだ。それらとコラボレーションすることで、読み手の音楽性が身に付くと考えたのである。

その狙いからすると、優秀な一流の演奏家が必要となる。幸運にも前橋に、東京国際ギターコンクールで第一位となり、スペインなどへ留学経験のある在日韓国人ギタリスト、黄敬氏がいたのである。後に彼の推薦で優れたマンドリン奏者、浜野高行氏に参加してもらい、数々の朗読会で共演してもらった。

これら弦楽器とのコラボが一段落した後、次は人間の声に近いと言われるチェロとの共演を考えた。そこで群馬交響楽団の首席チェリスト、ロシア生まれのレオニード・グルチン氏（残念ながら白血病で五〇代の若さで亡くなった）、加えて、ほどなくして彼の妻であり、国際伴奏ピアノコンクールで第二位の実力を持つ、ユリア・レヴ氏にも参加してもらった。両人ともサンクトペテルブルク音楽院出身である。

こうした一流の演奏家との共演は、読み手にただならぬ影響を与えていると思っている。その分析は難しいが、プラスにこそなれマイナスになるはずはない。

次に、グルチン氏との共演の中で私が発想したのが、異言語交流である。生でロシア語を聴くことなどめったにないことである。そこでロシアの国民的詩人・童話作家・小説家でもあるプーシキンを取り上げることにした。

ロシアでは子供の頃からプーシキンの文学に親しみ、グルチン氏などは代表的な詩のほとんどを暗唱しているという。そこで、我々の読み手は翻訳された詩を読み、その詩を原語でグルチン氏に読んでもらうことにした。チェロを演奏しながらの生の声の朗読は、めったに視聴できる光景ではない。

原語の意味はわからずとも、日本語の持つ響きとロシア語の持つ響きと音律……、その違い、面白さの対比は、驚きの効果を発揮したのである。

世界の言語、それもその国の方言を加えるならば、数え切れない言語が存在するはずだ。これらを網羅して異言語交流が実現したならば、互いの文化の違い、歴史の違いなどを、感覚的に理解する役割を果たすのではないか。この驚きの効果を発見した私は、積極的に異言語交流の機会を作ることを考えた。

まず、日本とは長い長い文化交流、時には悲しむべき軋轢（あつれき）を生みながら、深い関係を結んできた韓国語との交流である。日本の近現代詩を代表する、地元前橋生まれの詩人、萩原朔太郎を韓国で初めて翻訳出版した、仁川（インチョン）大学日本語学科教授、林容澤（イムヨンテク）氏と、韓国詩人として高い評価を受け人気のある詩人、鄭浩承（チョンホスン）氏を招いて、日韓の詩の交流会を前橋で開催。日本側のゲストは詩人、八木幹夫氏（現・日本詩人会会長）であった。

そして普段耳にするハングルとは、趣きを異にする流麗でやわらかい響きを持った、鄭氏の朗読に接することができたのである。この交流は次なる発展を見せた。我々の読み手を数名連れて、韓国の三つの大学を訪れ、日本語を学ぶ学生たちの前で、朔太郎、漱石、高村光太郎などの詩と小説を読んだのである。聴き入る韓国の学生たちの集中力と真剣なまなざしは、忘れることの出来ないものとなった。異言語交流の意義をさらに高めたのである。

その後、朔太郎を取り上げる会は何度か開いた。その折に使用した楽器は、朔太郎が若い頃に熱中したマンドリンとギターであった。彼は仲間を集めマンドリンの楽団を作り、作曲まで手がけているのである。黄敬氏がギターを担当。マンドリンは黄氏の推薦で埼玉県在住の浜野高行氏が参加した。この楽器との共演は、異言語交流とは違うが、詩人、茨木のり子の生涯を朗読する会でも実現した。

異言語交流の方針は思わぬきっかけを産み出した。宮沢賢治の朗読を企画していた時、テレビニュースの一コマに、インドで日本語を教え、賢治の研究をしている人物がいることを知った。私はなにがなんでも、この人を前橋に招き、インド人研究家の賢治観を聞きたいと願った。調査の結果、彼はインドの首都ニューデリーに在るネルー大学の日本語教授であることが判明した。名前はプラット・アブラハム・ジョージ氏。彼はクリスチャンでもあった。

前橋での朗読会は実現した。日本側のゲストは、元岩手大学学長の望月善次氏。彼は賢治研究会の理事の一人でもある。この時も当然音楽を使用した。ピアノはユリア・レヴ氏。それに賢治独特な作品世界を感じてもらいたいと思い、初めてオーボエを使うことにした。奏者は群馬交響楽団の首席オーボエ奏者の高崎智久氏である。彼の参加をきっかけにその後、高崎氏の妻であり群馬交響楽団の客員フルート奏者、高崎玲梨氏を知り、彼女の参加機会が多くなる。公演した作家の名前を列挙しよう。江戸川乱歩、山本周五郎、国木田独歩、太宰治、坂口安吾、いずれもピアノ伴奏はユリア・レヴ氏である。

さて、公演では賢治の五つの作品を読みながらの対談となり、ジョージ氏の日本人とは別視点の感想と解釈を知ることが出来た。同時に企画の一つとして、賢治の「雨ニモマケズ」をインドの公用語であるヒンズー語と、彼の出身地の方言で朗読してもらうことにした。

その二つを比較したとき、公用語であるヒンズー語より、古くから使われている方言に特別な音律があり、魅力的であった。

発表会が終わった後、ジョージ氏から「インド各地の大学で日本文学研究に取り組んでいる教授を集めてセミナーを開く。その会に参加して日本語の朗読をしてくれないか」と言う思わぬ提案を受けた。願ってもない夢のような話であった。

翌年、私は三名の読み手を連れ、ニューデリーのネルー大学のセミナーに参加した。そして、日本文学を研究する教授たちの前で、賢治、漱石の小説を朗読したのである。このような異言語交流の中で、私たちは貴重な比較言語の体験が出来たのである。


ロシア、韓国、インドと異言語交流は実現したが、この交流を更に発展させるために、私は日本に漢字文化をもたらしてくれた、中国をなんとか加えたいと思っていた。つまり、現在は一四億の民がいる世界第二位の経済大国となった中華人民共和国を忘れる訳にはいかないのだ。遠く歴史をさかのぼれば、文字文化を持たなかった日本に新しい言語の文字化をもたらしてくれた国である。

私が企画した中国との交流は、『中国雲南省少数民族民話選』（冨山房インターナショナル）に触発されたからである。雲南省には言語に違いを持つ二五にも及ぶ少数民族が存在し、独特な民話があることを知った。

早速、出版社に連絡をとり、その民話を日本語に翻訳した雲南大学日本語学科教授、張麗花（チャンリーフォア）氏を招きたい旨を伝え、承諾を受けたのである。また幸いなことに、「詩人、室生犀星の生涯」を題材とした発表会の折、演奏家として参加してくれた女性バイオリニストが、なんと雲南省出身の人物だったのだ。群響のバイオリン奏者、高杉（ガオシャン）氏である。

残念ながら目下のところコロナ禍のため延期となっているが、開催の折には存分に中国音楽をとり入れ、張教授の原語朗読も聴くことが出来ると心待ちにしている。

終章　「朗読」の魅力──肉声と人工音──

文明の歴史をさかのぼってみても、現代ほど人工音が洪水となって日常を埋め尽くしている時代は、ないのではないか。その過程には戦後の音声再生機器の発達に伴うラジオ・テレビの飛躍的な普及を見逃すことはできない。さらに目を見張る現象として、カラオケの脅威的な躍進がある。

人間の声に限って言っても、昔は特殊な場所や状況、あるいは放送業などに従事する人のみが、音声の増幅伝達を目的としたマイクを使用していた。そして軽量な録音再生装置がどんどん改良されるに従って、ついに伴奏音楽を録音、それを再生しながら画面上の歌詞を読み、マイクを使って唄うカラオケなるものが出現したのである。ここに人間の肉声美学を駆逐しかねない人工音が一世を風靡する時代となった。

そしてカラオケ機器が目ざしたマイクとスピーカーの性能は、誰の声もそれなりに美化され、甘く、まるで自分の声ではない別人の声と錯覚する方向へと傾斜させたのである。よって何が起こったか……。過剰極まりないエコー（残響音）を効かせたトロトロの甘い音質となり、人それぞれが有する肉声の微妙な魅力と面白さを掻き消してしまい、言葉（歌詞）が持つ絶妙な表現や意味などを、劣悪な人工音によって誤魔化しの中に埋没させてしまったのである。

私は老若男女、誰でもが気軽に歌を楽しむカラオケの出現に反対しているのではない。ただ現状を憂えるのだ。このままでは人間本来が備えている肉声の魅力を聴き取り、自分自身の肉声をも自覚的に捉える聴覚力が衰退してしまうと思うからである。

日常生活にも目を向けてみよう。いや、耳を傾けてみよう。

家庭において、常時テレビ・ラジオの音が流されるのはごく当たり前。一歩外に出て車に乗ればカーステレオなどから、やはり再生装置を通した音が耳に入ってくる。さらに人によっては街の雑音などを遮断して、ヘッドフォンによる音の世界に没入する姿も見られる。おまけにこれらの人工音に乱入してきたのが、スマートフォンやインターネットを通しての音である。

私たちの身の回りは、あらゆる情報伝達を中心とした人工音に占拠されているのだ。今後も人工音に晒（さら）され続ける人間は、ますます自然界が発する地球音を聴きとる神経も心も、忘却の彼方に消し去ってしまうのではないか。

本書で取り上げたインディアンの口誦詩、宮沢賢治の詩の世界は、もう永遠に呼び覚まされることはないのかも知れない。

以前から昨今の人工音氾濫への疑念はあるにはあったが、明確に意識化したのは、私が携わった放送という職業と人間の肉声と表現を追求する朗読研究であった。

四〇数年、放送界に身を置き種々雑多な番組制作に関わってきた人間として、マイクという音の収録効果、それらをスピーカーなどを通して自在に再生する面白さは、十分に知っているつもりだ。人間の声、自然音、効果音、そして音楽と人工的に加工再構成された音には、〃音の美学〃が確かに存在する。ときには現実を超えたリアリティを持って、聴き手の心を揺さぶる感動の〃音の美学〃を表現する力を持つ。

だが、それらを創り出すもとは、ただ単に精巧にして優れたマイクと再生装置さえあれば出来るというものではない。表現物を創り出す人間、脚本、演出、技術、音楽、関係者すべての創意と工夫が合体しなければ成立しないのである。

中でも、意味を伝える言葉を担当する声の表現者は、重要な位置を占めている。録音再生機器が発達改良されればされるほど、「声」の表現は誤魔化しが出来やすくなる。でもそれはあくまでも機械技術に頼る表面だけをとりつくろった誤魔化しであり、真の声による言葉の表現ではないはずだ。

さすれば〃声の美学〃を確立追求するにはどうすれば良いのか……。要するに「原点に還れ！」ということである。

まず個人個人の所有する持って生まれた声、その地声を認識し、鍛錬し、贅肉を削ぎ落とし、無駄な飾りを捨てることである。また言葉と向かい合ったとき、文章の展開、道筋、意味を読み取り、言葉の中にある喚起力を聴き手に的確に渡す。

これらの基本を身につけ、体に覚え込ますことによって、たとえそれがマイクを通した人工音になろうとも、伝達表現する力は揺るぎのないものになるはずである。特に肉声を使う「朗読」には欠かすことのできない重要な要素であろう。

あとがき

「朗読」の歴史はまだ浅い。記録によれば、一八九一（明治二四）年に東京専門学校（現早稲田大学）文学科の教授であった坪内雄藏（坪内逍遥）が、日本初の「朗読研究会」なるものを設立。これが後の日本の新劇運動の源流となるのである。余談だが、坪内は一九〇〇（明治三三）年に、日本で最初の国語教科書となる『國語讀本』を有限会社冨山房より出版し、近代日本の国語教育にも尽力している。

それ以前の〝語り芸〟と言えば、「落語」であり「講談」と言えるだろう。しかしいずれも、「原本」を手元に置かずに、語り手の即興性を加味しながらの〝語り芸〟である。「朗読」にも、原本を暗記して読む人もいるが、即興性なしの「原本」を忠実に読むのが「朗読」の基本であろう。「原本」を手元に置いて語る芸には、三味線の伴奏の入る「浄瑠璃（義太夫）」があり、それよりも古い「説教節」にも、それに近い形式があるようだ。

さて、現代の「朗読」の源流には坪内逍遥の存在を指摘してきたが、大正末に起きた関東大震災の後に設立された、ＮＨＫ（日本放送協会）の存在を無視することは出来ない。つまり国策でもあった共通語の普及に計り知れない影響を与えているからだ。だが日本各地にあった〝方言〟の魅力と面白さを忘れさせてしまったことも事実だろう。

何度も書いてきたことだが、「朗読」という〝語り〟の「原本」は、音楽で言えば「楽譜」の役割を果たしているのである。読み手の音読による鍛錬しかないのだ。作者の文体や文章の一字一句に集中し、全体の物語の起承転結を体で感じ、あらゆる想像力を働かせてつかみ取ることに尽きるのである。

私事で恐縮だが、九〇歳を過ぎた最晩年に『中国雲南省少数民族民話選』の本と出会ったことで、本書を世に問うことが出来た。本書の出版をご快諾いただいた株式会社冨山房インターナショナルの坂本喜杏社長並びに編集にお力添えをくださった平田栄一氏に心より感謝を捧げたい。出版界の苦境の折に、このような幸運に恵まれるとは夢のようである。

■著者紹介■

遠藤敦司（えんどう・あつし）

1931年、山梨県甲府市生まれ。北海道放送（HBC）でラジオ・テレビの制作報道部等を経て、フリーの放送作家となる。立正大学・共愛学園国際大学・ＮＨＫ文化センター等で講師を勤め、現在は前橋朗読研究会（BREATH）・ぐんま朗読塾を主宰。日本放送作家協会員。著書：『崩壊結婚　残された夫たち・妻たち』（共著、三一書房、1981）、『テレビ草創伝説　演出家23人の足跡』（三一書房、1995）、『ドキュメンタリービデオの創り方』（東京書店、2000）、『「朗読講座」現代読み聞かせ入門』（東京書店、2001）ほか。

朗読のすすめ ——「朗読」が結ぶ異文化交流

二〇二三年七月六日　第一刷発行

著　者　遠藤敦司
発行者　坂本喜杏
発行所　株式会社冨山房インターナショナル
〒一〇一-〇〇五一
東京都千代田区神田神保町一-三
電話〇三（三二九一）二五七八
印　刷　株式会社冨山房インターナショナル
製　本　加藤製本株式会社

ISBN978-4-86600-115-9 C0095